POLISH IN THREE MON

Hugo's Simplified System

Polish in
Three Months

Danusia Stok

Hugo's Language Books Limited

Written by

Danusia Stok

Illustrations by **Andrzej Krauze**

Set in 10/12 Plantin by
Keyset Composition, Colchester, Essex
Printed and bound by
Page Brothers, Norwich, Norfolk

Contents

Preface

This new Hugo course *Polish in Three Months* is designed for those people who want to acquire a good working knowledge of Polish in a short time, and who will probably be working at home without a teacher. The 'Three Months' series as a whole is renowned for its success in self-tuition, but the books are equally useful as sources of reference if you happen to be attending language classes.

Polish in Three Months begins with an explanation of the sounds of the language as far as this is possible in print. If you have no teacher you will find that the system of imitated pronunciation used in the early lessons will be a great help. We would, however, advise you to use the related audio cassettes if at all possible; these have been produced as optional extras but using them will undoubtedly enhance both the quality and the pleasure of your learning. Ask the bookshop for Hugo's Polish 'Three Months' Cassette Course.

There are no complex rules for working through the course which you must memorize beforehand. You are given instructions and suggestions at the point in the lesson where you are required to do something or might welcome some sort of "hint"; where we think it possible that you might have forgotten something, we include either a brief reminder or a cross-reference – sometimes both. All you need do is begin at Lesson 1 and follow our instructions.

Ideally, you should spend about an hour a day on your work, although this is by no means a hard-and-fast rule. Do as much as you feel capable of doing at a particular time; if you don't have a special aptitude for language learning, there's no point in forcing yourself beyond your daily capacity to assimilate new material. It is much better to learn a little at a time, and to learn that thoroughly. At the beginning of each day's session, spend ten minutes recalling what you learned the day before. When you read the Polish words and dialogues, say them out aloud if possible. Study each rule or numbered section carefully and re-read it to ensure that you have fully understood the grammar and examples given. Try to understand rather than memorize; if you have understood, the exercise will ensure that you remember the rules through applying them.

A set of cassette recordings is available with *Polish in Three Months*; although these tapes aren't an integral part of the book course (which is perfectly viable without them), they are bound to help you with your pronunciation. Remember that there are far fewer opportunities for you to hear spoken Polish than (say) French or German, were you to be studying either of the latter languages. The cassettes cover in detail the sounds of Polish, set out in the Pronunciation chapter. They let you hear many of the model words and sentences found in subsequent units, as well as all the dialogues which close each lesson. You'll be able to test your grasp of vocabulary by responding to a verbal "prompt", and some of the written exercises may also be adapted for oral practice.

When the course is completed, you should have a good knowledge of Polish – more than sufficient for general holiday or business use, and enough to act as a basis for further studies. We hope you enjoy *Polish in Three Months*, and wish you success in learning.

ACKNOWLEDGEMENTS

Very many thanks to Katie Lewis for her painstaking editing and constructive help in putting this course together, and to Ewa Werner in Warsaw who gave good advice on many aspects of grammar and usage. Thanks also to Maria Maskell for her Polish proofreading and editorial assistance, and to Anne Hargest-Gorzelak for helping with the imitated pronunciation. Lastly, but most importantly, to Witold Stok for giving the author so much encouragement and support throughout her task.

Polish pronunciation

Although Polish may seem daunting at first, once you've learnt the ground rules you'll realize how much more phonetically consistent it is than English. Most letters and syllables are always pronounced the same way. Some letters appear in combinations which may seem strange and difficult, and one of your initial problems might be in grasping combined letters which constitute only one sound between them, but this will soon fall into place. Don't try to learn them off by heart; just keep referring back to this pronunciation chapter whenever the need arises. The sounds will eventually sink in – before long, at your local delicatessen counter, you'll be able to ask without much difficulty for that Polish sausage with the jaw-breaking name! And after a little more study, you might even wonder what all the fuss was about to begin with.

To help you further, there's 'imitated pronunciation' against most of the model words and phrases in Lessons 1 and 2. How it works is explained at the end of this first chapter. But we suggest you make every effort to learn the correct pronunciation for yourself, from the notes given on the intervening pages (and by listening carefully to the cassettes, if you have them); refer to the imitated scheme only as a last resort.

The Polish alphabet

There are 32 letters in the Polish alphabet:

a	f	m	ś
ą	g	n	t
b	h	ń	u
c	i	o	w
ć	j	ó	y
d	k	p	z
e	l	r	ź
ę	ł	s	ż

NOTE: The letters 'q', 'v', 'x' do not appear in the Polish language except in foreign words or as symbols. The letter **h** rarely stands alone. It is usually preceded by a **c**.

Apart from the 32 basic letters of the alphabet there are seven pairs of letters which represent different sounds:

ch	**dz**	**dż**	**rz**
cz	**dź**	**sz**	

Vowels

The Polish vowels are **a, ą, e, ę, i, o, ó, u** and **y**. They are pronounced consistently – i.e. they do not change according to the context as they do in English. For example, where the English speaker pronounces each of the 'e's in 'reserve' differently, a Pole, using Polish phonetics, would pronounce each of the 'e's like the 'e' in 'bed'.

In Polish, vowels are pronounced as follows:

a   as in 'ant', 'ass'
        e.g. **kobieta, gazeta, lalka, tak**

e   as in 'bed', 'exploit'
        e.g. **lekarz, ser, papier**

i   as 'ee' in 'reel', 'feet'
        e.g. **inny, kilogram, godzina**

o   as in 'shop', 'dot'
        e.g. **kompot, on, szeroko, oko**

ó, u   as 'oo' in 'soot', 'foot'
        e.g. **pół, mur, pióro, góra**

y   as 'i' in 'sin', 'grin'
        e.g. **syn, wy, stary**

The accented vowels **ą** and **ę** – the so-called nasals – have a sound which is uniquely Polish. The best way to describe it would be as nasal equivalents of the following. (Try saying these sounds and words while holding your nose.)

Before **b** and **p**:

ą   sounds like '-om'
        e.g. **trąba** = nasalized 'tromba'

ę   sounds like '-em'
        e.g. **zęby** = nasalized 'zembi'

Otherwise:

ą   sounds like '-on'
   e.g. **sąd** = nasalized 'sond'
         prąd = nasalized 'prond'

ę   sounds like '-en'
   e.g. **ręka** = nasalized 'renka'

Consonants

Most Polish consonants are pronounced much as in English:

b   as in 'bed', 'boot'
   e.g. **brat, but, bęben**

d   as in 'day', 'dad'
   e.g. **deszcz, doktór, dom**

f   as in 'fire', 'fact'
   e.g. **fryzjer, film, fakt**

g   as in 'gone', 'garden'
   e.g. **gość, gesty, gazeta**

k   as in 'kettle', 'kite'
   e.g. **kilka, który, kobieta**

l   as in 'lake', 'look'
   e.g. **lekarz, lekcja, Londyn**

m   as in 'man', 'music'
   e.g. **mężczyzna, mąż, muzyka**

n   as in 'no', 'nine'
   e.g. **nuta, noga, nóż**

p   as in 'paper', 'parcel'
   e.g. **papier, paczka, paszport**

s   as in 'son', 'silver'
   e.g. **syn, srebro, sól**

t   as in 'ten', 'tone'
   e.g. **torba, ton, telefon**

z   as in 'zebra', 'zone'
   e.g. **zero, zupa, zaraz**

The remaining consonants have a different sound to their English equivalents:

c	as 'ts' in 'sits' e.g. **cegła, cyrk, noc**
h, ch	guttural as in the Scottish 'loch' e.g. **chleb, herbata, chłopiec**
j	as 'y' in 'yellow' e.g. **ja, jutro, jajko**
ł	as 'w' in 'was' e.g. **łąka, łóżko, igła**
r	is rrrolled e.g. **rok, reklama, herbata**
w	as 'v' in 'very' e.g. **woda, was, kawa**

Hard and soft consonants

The concept of hard and soft consonants may be unfamiliar to those of you who are not linguists. In Polish, however, the endings of declensions vary according to whether the last consonant is soft or hard. A rudimentary acquaintance with this idea is, therefore, necessary, and here are some basic guidelines.

The letters j and l are always soft. Other consonants are hard unless:

(a) they are softened by an accent: ć, ń, ś, ź, dź; or
(b) they are followed by the letter i.

ć	pronounced as 'ch' in 'cheese', 'cherry' e.g. **robić, ćwierć**
ń	as 'ne' in 'news', 'sinew' e.g. **dzień, słońce**
ś	as the 'sh' in 'sheep', 'shoulder' e.g. **ślub, kość**
ź	as the 's' in 'leisure', 'pleasure' e.g. **źle, źródło**
dź	as the 'j' in 'jeans', 'jelly' e.g. **śledź, odpowiedź**
ż	as French 'j' in 'Jacques', 'joli' e.g. **żona, może**

The letter **i** after **c, n, s, z** or **dz** has the same effect as an accent. After other consonants an **i** before another vowel is not pronounced as a separate vowel, but adds a kind of 'y' sound to the consonant (as in **ń**):

biały, dieta, miasto, pies

Certain two-letter combinations in Polish constitute a single sound. These are the hardened consonants: **cz, sz, rz, dz, ż, dż.**

Apart from **dz**, these cannot be softened. The sounds they represent do not exist in English and the examples given below are as close approximations as possible. The sound is, however, a little harder:

cz   as 'ch' in 'church', only harder
e.g. **czas, często, czek**
(**cz** is like a harder version of **ć**)

sz   as 'sh' in 'shall', only harder
e.g. **szkoła, szansa, paszport**
(**sz** is like a harder version of **ś**)

rz   is like the **ż**, as 'j' in French 'Jacques'
e.g. **rzeka**

dz   as 'ds' in 'goods'
e.g. **dzban, dzwon**
The two-letter combination **dz** can be softened by an accent over the **z**, e.g. **odpowiedź**. However, when an **i** follows the **dz**, the sound remains hard, e.g. **dzień**.

dż   is a combination of **d** + **ż**: 'd' as in 'dog' followed by 's' as in 'leisure'
e.g. **dżungla, dżem, dżuma**

Voiced consonants

Certain distinctly voiced consonants become less distinct according to their position in a word or phrase. This is often the case when the letter lies at the end of a word or when a distinct consonant precedes or follows a voiceless one:

Clear voiced	Voiceless equivalent
b	p
d	t
g	k
w	f
z	s
rz/ż	sz
ź	ś
dz	c
dź	ć
dż	cz

e.g.

rób	sounds like róp
samochód	sounds like samochót
Bóg	sounds like Bók
wbrew	sounds like wbref
zaraz	sounds like zaras
lekarz	sounds like lekasz
weź	sounds like weś
wódz	sounds like wóc
Łódź	sounds like Łóć
brydż	sounds like brycz

and

kwiat	sounds like kfiat
wódka	sounds like vótka
trzeba	sounds like tszeba

Certain groupings of consonants look particularly daunting but they are very common in Polish so it's best to accept them and get acquainted with them from the very start, remembering that they read simply as two consonants. Here are some examples (underlined):

przepraszam
trzy
Chrześcijanin
krzak
Bydgoszcz

Prepositions

Prepositions in Polish are pronounced as if they formed part of the following word:

Idę do domu (I'm going home) is pronounced as if it were written **Idę dodomu.**

Zobaczymy się w środę (We'll see each other on Wednesday) reads as if it were written **Zobaczymy się wśrodę.**

Stress

Stress generally falls on the penultimate syllable (the one before the last, underlined in these examples):

<u>ze</u>szyt, <u>sto</u>łek but sto<u>łe</u>czek.

There are some exceptions, but the main exception to remember is that in words of foreign origin, especially Latin or ancient Greek, the stress usually falls on the third-to-last syllable.

<u>fi</u>zyka
gra<u>ma</u>tyka
gim<u>na</u>styka

Exercise 1

Try to read the following out loud before referring to the Imitated Pronunciation or the cassette. Then practise these words.

1 **Tak** (Yes)
2 **Nie** (No)
3 **Proszę** (Please)
4 **Dziękuję** (Thank you)
5 **Przepraszam** (Sorry)
6 **Dzień dobry** (Good morning/afternoon)
7 **Dobry wieczór** (Good evening)
8 **Dobranoc** (Good night)
9 **Do widzenia** (Goodbye)
10 **Na zdrowie!** (Cheers! *lit.* Your health!)

The Imitated Pronunciation

For the first two lessons we help you by providing a form of 'imitated pronunciation' for most of the model Polish words and phrases. When reading this, pronounce each syllable as if it formed part of an English word, and you'll be understood sufficiently well. Follow the guide below, and your pronunciation will be even closer to the correct Polish. However, remember that the imitated pronunciation is only an approximation based on standard (British) English sounds. Look upon it as a 'last resort' aid, and try not to become dependent on it.

The imitations are shown in italics, usually in blocks at the end of a paragraph or numbered section. Hyphens are shown where syllabic division may help you to read the imitated pronunciation more smoothly. Stress is shown by an underline, but only where it is either irregular (i.e. not on the penultimate syllable) or differs from the similar English word. Here is a summary, with one or two explanations by way of 'fine-tuning' or where misinterpretation might be possible.

a	[*a*]:	short and open, as 'a' in 'ant' or 'ass'.
ą	[*AWN*]:	a nasal sound as in 'sawn' but with the 'n' barely sounded. When the **ą** comes before **b** or **p**, the terminal 'n' becomes 'm'.
c	[*ts*]:	like the 'ts' as in 'cats', 'sits'.
ć, cz	[*ch, tch*]:	the 'ch' as in 'cheese', 'church'; **cz** sounds a little harder (but not as hard as the ordinary **c**).
ch	[*H*]:	a guttural 'ch' as in the Scottish 'loch' – which, remember, does <u>not</u> sound like 'lock'!
dz	[*ds, dz*]:	like the 'ds' in 'goods', also the 'dz' in 'adze'. But when followed by **i** or **e**, it is like the 'j' in 'jeans' [*j*].
dź	[*j*]:	like the 'j' in 'jeans'.
dż	[*dʒ*]:	the 'd' in 'dog' followed by 's' in 'leisure' (or by 'J' in the French name 'Jacques').
e	[*e, eh*]:	keep short, as in 'bed'.
ę	[*EN*]:	another nasal sound, similar to 'en' in 'end' but barely sounded. When the **ę** comes before **b** or

p, the terminal 'n' becomes 'm'. At the end of a word, ę may be pronounced like the 'e' in 'bed', but in words such as **się** the nasal quality persists (like 'seance' without the 'ce' ending).

g	[*g*]:	always hard, as in 'get'.
h	[*H*]:	a guttural 'ch' as in the Scottish 'loch'.
i	[*ee*]:	like the 'ee' in 'feet', 'reel'. See the additional note on **i** at the end of this summary.
j	[*y*]:	'y' as in 'yes', 'yellow'.
ł	[*w, wuh*]:	like the 'w' in 'was', 'window'; sometimes a softer, barely sounded 'w'.
ń	[*n'yuh, n'ye*]:	similar to the 'ni' in 'companion', or the 'ne' in 'news'. Sometimes a nasal [*AN*], as in **państwo**. When at the end of a word, this [*n'ye*] sound is very slight.
o	[*o*]:	keep it short, as in 'dot', but hold the sound for a little longer; remember this when you see **to, do** imitated by [*to*], [*do*] – don't read them as 'too', 'do'.
ó	[*oo*]:	as in 'soot', 'foot'; <u>not</u> as long as 'boot'.
r	[*r, rr*]:	remember to roll the sound more than is usual in English.
rz	[*ʒ*]:	like the French 'J' in 'Jacques', or the 's' in 'leisure'. When it follows **p, t, k**: [*sh*] like 'sh' in 'shut'.
ś, sz	[*sh*]:	like the 'sh' in 'sheep', 'shut', 'shall'; **sz** sounds harder. The combination **śc** [*shch*]: try keeping your teeth together and hissing 'Ashchurch'.
u	[*oo, u*]:	as in 'soot', 'foot', 'put'.
w	[*v*]:	as 'v' in 'very', but sometimes has an 'f' sound.
y	[*i*]:	a short 'i' as in 'sin'.
ź, ż	[*ʒ*]:	like the French 'J' in 'Jacques', or the 's' in 'leisure'.

Note the following characteristics of **c**, **dz**, **n**, **s** and **z** when followed by **i** in the middle of a word: the consonant is softened and the **i** remains silent:

ci = 'ch' as in 'cheap'
dzi = 'j' as in 'jeans'
ni = similar to 'ni' as in 'companion'
si = 'sh' as in 'show'
zi = 's' as in 'leisure'

Also, when **i** is at the end of a word following **c**, **dz**, **n**, **s** or **z**, it softens the preceding sound but is also pronounced:

ci = 'chee' as in 'cheese'
dzi = 'jee' as in 'jeep'
ni = 'n-yee', the 'ni' in 'companion' plus 'ee' (the 'y' sound being barely perceptible)
si = 'shee' as in 'sheet'
zi = 's' as in 'leisure' plus 'ee'

Lesson 1

1.1 Gender of nouns

There are three genders in Polish: masculine, feminine and neuter. Obviously, males are masculine and females are feminine, but the gender of most other nouns has to be deduced from their endings – you cannot presume that the meaning indicates the gender. For example, a telephone (**telefon**) is masculine, a taxi (**taksówka**) is feminine, and an office (**biuro**) is neuter.

How you form the plural and the various cases (see 1.8) of a particular noun depends on the gender of that noun. When you come to learn about adjectives – words that describe a noun – you'll see that their endings change according to the gender of the noun they refer to. So you can see why it is important to recognize each noun's gender when you first learn the word.

Here are some general rules for recognizing the three genders, with examples in each category.

- Masculine nouns end in a consonant:

adres	address	**pan**	Mr, gentleman, sir
bagaż	luggage	**paszport**	passport
bilet	ticket	**podpis**	signature
brat	brother	**podróż**	journey
dom	house	**samolot**	aeroplane
dzień	day	**sklep**	shop
kraj	country	**stół**	table
lot	flight	**syn**	son
numer	number	**telefon**	telephone
odlot	(flight) departure	**zawód**	occupation
ojciec	father		

IMITATED PRONUNCIATION (1.1-i): _address; bagaʒ; beelet; brrat; dom; jen'ye; cry; lot; noomerr; odlot; oy-chets; pan; pashporrt; podpees; podrooʒ; samolot; sklep; stoow'; sin; telefon; zavood._

- Feminine nouns end in **-a** or **-i**:

apteka	chemist's, pharmacy	**matka**	mother
córka	daughter	**pani**	lady, Mrs, madam
data	date (calendar)	**poczta**	post office
karta	card	**siostra**	sister
kasa	cash-desk, box office	**stacja**	station
klasa	class	**taksówka**	taxi
kobieta	woman	**taryfa**	tariff, fare
kontrola	control	**toaleta**	toilet
mapa	map	**ulica**	street

IMITATED PRONUNCIATION (1.1-ii): *apteka; tsoorrka; data; karrta; kasa; klasa; kob'yeta; kontrolla; mapa; matka; panee; potch-ta; sh'ostra; stats-ya; taksoovka; tarrayfa; to'ahletta; ooleetsa.*

- Neuter nouns end in **-e**, **-ę**, **-o** or **-um**:

biuro	office	**mięso**	meat
cło	excise duty, customs	**morze**	sea
drzewo	tree	**muzeum**	museum
dziecko	child	**nazwisko**	surname
dziewczę	girl	**okno**	window
imię	first name	**piętro**	floor, storey
lokum	place, room	**pole**	field
lotnisko	airport	**rano**	morning
łóżko	bed	**wejście**	way in, entrance
miasto	town, city	**wyjście**	way out, exit
miejsce	place, space, room		

IMITATED PRONUNCIATION (1.1-iii): *be'ooroh; tswoh; d'jevo; jetsko; jev-cheh; eem'yuh; lok-oom; lotneesko; woojko; m'yasto; m'yayst-seh; m'yɛnso; morrjeh; moozayum; naz-veesko; okno; pee'ɛntro; poleh; rrano; vaysh-cheh; vish-cheh.*

There are, inevitably, some exceptions ...

(a) Nouns ending in **-a** but referring to men are masculine. For example:

artysta	artist	**poeta**	poet
mężczyzna	man	**turysta**	tourist

(b) Some nouns ending in a consonant are feminine, but don't worry; any good dictionary will give the gender.

For example:

kość	bone	**noc**	night
krew	blood	**rzecz**	thing
miłość	love		

(c) Most nouns referring to a person have both a masculine and a feminine form:

aktor – aktorka	actor, actress
amator – amatorka	amateur, buff
lekarz – lekarka	doctor
malarz – malarka	painter
pisarz – pisarka	author
poeta – poetka	poet
student – studentka	student
tancerz – tancerka	dancer

IMITATED PRONUNCIATION (1.1-iv): *arrtista; mɛnʒ-chizna; poeta; toor-rista; koshch; krev; mee-woshch; nots; ʒetch; actorr, actorrka; amatorr, amatorrka; lekaʒ, lekarrka; malaʒ, malarrka; peesaʒ, peesarrka; poeta, poetka; stoodent, stoodentka; tantseʒ, tantserrka.*

1.2 No articles

There are no definite or indefinite articles in Polish. So, according to the context, **stół** can mean 'table', 'the table', or 'a table'.

1.3 Personal pronouns

Personal pronouns (words like 'I', 'he', 'you') take the place of nouns.

ja	I	**my**	we
ty	you	**wy**	you
on	he	**oni**	they (*men, or mixed company*)
ona	she	**one**	they (*women, animals, objects*)
ono	it		

In Polish the verb endings often make clear who is the subject of the action, so you will find that the pronouns (especially **ja**, **ty**, **my** and **wy**) are often left out.

16

IMITATED PRONUNCIATION (1.3): *ya; ti; on; onna; onno; mi; vi; onni; onneh.*

1.4 The verb 'być' (to be) – present tense

As in most languages, in Polish the verb 'to be' (**być**) is irregular. Here is its present tense, together with the personal pronouns:

ja jestem	I am	**my jesteśmy**	we are
ty jesteś	you are	**wy jesteście**	you are
on ⎱	he ⎱	**oni** ⎱	they are
ona ⎬ **jest**	she ⎬ is	**one** ⎬ **są**	they are
ono ⎰	it ⎰		

NOTE: Where **to** ('this') is used to indicate an indefinite person or thing, the verb **być** is sometimes omitted. So it would be perfectly correct to say:

To adres.   This is an address.

IMITATED PRONUNCIATION (1.4): *bitch; yestem; yestesh; yest; yest; yest; yesteshmi; yestsh-cheh;* SAWN; SAWN; *to address.*

Exercise 2

Translate into English, stating the gender:

1	podróż	11	bilet
2	paszport	12	cło
3	karta	13	samolot
4	bagaż	14	lotnisko
5	pan	15	sklep
6	mapa	16	poczta
7	wejście	17	mężczyzna
8	ojciec	18	kość
9	miasto	19	noc
10	imię	20	taryfa

1.5 Forms of address

Polish has a familiar and a formal (polite) form of address. If you've studied French, German or Spanish, this shouldn't be a strange concept for you.

The second person singular or plural of the verb, the familiar form, is used only when speaking to close friends, children, relatives and animals.

In all other cases, when you are not on close terms with the person or people you are addressing you use the third person forms of the verb, as follows:

(a) speaking to one person you use the third-person singular form of the verb, together with **pan** for a man, or **pani** for a woman. For example:

   Czy jest pan tam?
   Are you there? (to a man)
   Czy jest pani zdrowa?
   Are you well (*lit.* healthy)? (to a woman)

(b) speaking to two or more people you use the 3rd person plural form of the verb, together with **panowie** for men, **panie** for women, or **państwo** for a mixture of the two.

IMITATED PRONUNCIATION (1.5): *pan; panee; chi yest pan tam; chi yest panee z'drova; panov'yeh; pan'yeh; paANstvo.*

Pan, pani, literally mean 'Mr', 'Mrs (Ms/Miss)', and **państwo** means 'Mr and Mrs'. So:

   Mr Tate = **pan Tate**
   Mrs Tate = **pani Tate**
   Mr and Mrs Tate = **państwo Tate.**

Don't be surprised to hear Poles address each other by title or status. Going to a pharmacy, for example, you're more than likely to hear the woman behind the counter called **pani magister** (Mrs/Miss/Ms Apothecary). Or a doctor will be addressed as **pan/pani doktór** (Mr/Mrs/Ms Doctor).

There is still another form of address which is neither entirely familiar nor entirely formal, and it is often used among colleagues or less close friends: **pan/pani** + first name + third-person singular verb.

   pan Stefan – Mr Stephen
   pani Maria – Mrs/Miss/Ms Maria

1.6 Asking questions

Asking questions in Polish is not complicated. To ask a question requiring a yes/no answer, simply put **czy** at the beginning of the sentence.

Czy to jest paszport?	Is this a passport?
Czy on tu jest?	Is he here?

If you are addressing someone formally, the **pan/pani/państwo** generally follows the verb in a question:

Czy jest pan tu?	Are you here?

Sometimes tone of voice is used to indicate a question, in which case **czy** may be omitted:

To jest hotel?	Is this a hotel?
To jest adres?	Is this an address?

IMITATED PRONUNCIATION (1.6): *chi; chi to yest pashporrt; chi on too yest; chi yest pan too; to yest hotel; to yest address.*

VOCABULARY

bardzo	very
celnik	customs officer
dokument	document
do widzenia	goodbye
dziękuję	thank you
i	and
mój	my
nareszcie	at last, finally
narodowość	nationality
proszę	please; here you are
proszę bardzo	you're welcome, here you are
tak	yes
tam	there
tu	here
urodzenie	birth
Warszawa	Warsaw
wszystko	everything, all
zdjęcie	photograph

IMITATED PRONUNCIATION (Vocabulary): *barrdzo; tselneek; dokooment; doveedzenya; jENkoo-yeh; ee; mooy; naresh-ch'yeh; narod-ovoshch; prosheh; prosheh barrdzo; tak; tam; too; oorrodz-en'yeh; varrshava; shist-ko; zdyEN-ch'yeh.*

Exercise 3

Read and translate:

Warszawa. Nareszcie jesteśmy. Lotnisko. Tu cło i celnik. Tam bagaż i kontrola. Proszę bardzo, to mój dokument, mój paszport.

PASZPORT

Numer:
Imię:
Nazwisko:
Data urodzenia:
Miejsce urodzenia:
Narodowość:
Zawód:
Adres:

Zdjęcie:

Podpis:

– Pani X?
– Tak, to ja.
– Dziękuję pani.
– Czy to wszystko?
– Tak.
– Dziękuję.
– Proszę bardzo. Do widzenia.
– Do widzenia.

1.7 Negative sentences

To form the negative of a sentence, simply place **nie** (which literally means 'no', 'not') in front of the verb, if there is one.

To jest adres.	This is the/an address.
To nie jest adres.	This isn't the/an address.
To nie adres.	This isn't an address.

IMITATED PRONUNCIATION (1.7): *n'yeh; to yest address; to n'yeh yest address; to n'yeh address.*

Exercise 4

Say in Polish:

1 Is this Warsaw?
2 This is my passport.
3 Is this customs?
4 This is my luggage.
5 At last you're (*polite plural*) here!
6 Mr and Mrs Skate?
7 Is this my ticket?
8 Is this the address?
9 This is not an address!
10 This is Mr and Mrs Rumian.

1.8 Cases

Polish nouns change their endings according to the part they play in a sentence. If you have learnt Latin or German, you won't find this idea of cases very strange. Cases – and the word endings which these entail – simply indicate relationships between words and, although annoying to learn initially, they do help in understanding. Even English has case endings! Just think of the pronoun 'he' and its accusative form 'him'. Polish has seven cases and these will be introduced gradually, lesson by lesson. But to give you a general idea, here is a brief summary of their functions:

1 The Nominative case indicates the subject of the sentence (who or what is doing something).
2 The Accusative indicates the direct object of the sentence and shows whom or what a direct action is affecting.
3 The Genitive case generally means 'of (somebody or something)' and suggests some sort of possession.

4 The Dative case denotes an indirect object and in English is usually indicated by 'to' or 'for'.
5 The Locative case, as the name suggests, is used to indicate where an action is taking place.
6 The Instrumental case, again as the name makes clear, is used to express the means by which an action is done, that is, the 'instrument' used.
7 The Vocative case is used to address a person, animal or thing.

1.9 Nominative case of nouns

The nominative case denotes the subject of a sentence and is the noun form given in dictionaries. All the nouns you've seen so far – in the vocabulary lists and examples – have been in their nominative form. The nominative case also follows **to** ('this') where 'this' indicates persons or things. For example:

To jest stół.
This is a table.

To jest córka, a to jest syn.
This is the daughter and this is the son.

To jest kot, a to jest kotka.
This is a tomcat but this is a she-cat.

IMITATED PRONUNCIATION: (1.9-i): *to yest stoow'; to yest tsoorrka, a to yest sin; to yest kot, a to yest kotka.*

● **Nominative singular**

As you'll remember from section 1.1, the following rules apply to most nouns (don't forget the exceptions):

(a) Masculine nouns end in a consonant.
(b) Feminine nouns end in **-a**, **-i**.
(c) Neuter nouns end in **-o**, **-e**, **-ę**, **-um**.

● **Nominative plural**

The nominative plural is a little more complicated in that there is a distinction in the masculine between objects and animals, and people. However, since masculine objects and animals take the same endings as feminine nouns, there are still only three sets of endings to learn.

(a) *Masculine*
In the nominative plural, masculine nouns add **-y**, **-i** or **-e**, as follows:

Men
Add: **-y** after **g, k, r, iec**:

kolega	koledzy	friends, colleagues
Anglik	Anglicy	Englishmen
Polak	Polacy	Poles
dyrektor	dyrektorzy	managing directors
chłopiec	chłopcy	boys
Niemiec	Niemcy	Germans

NOTE:
  g becomes **dz**
  k becomes **c**
  r becomes **rz**
  -iec becomes **-c**

IMITATED PRONUNCIATION: (1.9-ii): *kolega, koledzi; angleek, angleetsi; polak, polatsi; dirrectorr, dirrectorrʒi; ʜwop'yets, ʜwoptsi; n'yem'y-ets, n'yem'y-tsi.*

Add: **-i** after other hard consonants. For example:

blondyn	blondyni	blonds
chłop	chłopi	peasants
mężczyzna	mężczyźni	men
student	studenci	students
turysta	turyści	tourists

NOTE: Where a masculine (person) noun ends in **-a**, the **-a** is omitted and the previous consonant softened. Also:

  t is softened to **ci**
  st is softened to **ści**
  z is softened to **zi** (**ź**)

IMITATED PRONUNCIATION (1.9-iii): *blondin, blondinee; ʜwop, ʜwopee; mɛnʒ-chizna, mɛnʒ-chiʒ-nee' stoodent, stoodent-chee; toorrista, toorrish-chee.*

Add: **-e** after a hardened consonant or a soft consonant:

lekarz	**lekarze**	(doctors)
nauczyciel	**nauczyciele**	(teachers)

IMITATED PRONUNCIATION: (1.9-iv): *lekaʒ, lekaʒeh; now-chichel, now-chichel-eh.*

There is a special group of masculine personal nouns which end in **-owie** in the plural. This group includes:

(i) family relationships:

ojciec	**ojcowie**	fathers
syn	**synowie**	sons
wuj	**wujowie**	uncles

Exception:

brat	**bracia**	brothers

(ii) names:

Jan	**Janowie**
Nowak	**Nowakowie**

(iii) titles, certain professions and nationalities:

Arab	**Arabowie**	Arabs
Belg	**Belgowie**	Belgians
król	**królowie**	kings
pan	**panowie**	Messrs
profesor	**profesorowie**	professors

IMITATED PRONUNCIATION (1.9-v): *oy-chets, oyts-ov'yeh; sin, sin-ov'yeh; vooy, vooy-ov'yeh; brrat, brratcha; yan, yan-ov'yeh; novak, novak-ov'yeh; arrab, arrab-ov'yeh; belg, belg-ov'yeh; krool, krool-ov'yeh; pan, pan-ov'yeh; professorr, professorr-ov'yeh.*

Don't be disheartened by the apparent complexity of these endings. You'll soon find they fall into place.

Objects and animals
Add: **-i** after **k**, **g**:

bank	**banki**	banks
brzeg	**brzegi**	waterbanks, edges

Exception:

rok (year) becomes **lata** in the plural.

Add: **-y** after other hard consonants.

klub	**kluby**	clubs
orzech	**orzechy**	nuts

Add: **-e** after a soft consonant, and **-c**:

liść	**liście**	leaves
koń	**konie**	horses
kraj	**kraje**	countries
piec	**piece**	stoves

IMITATED PRONUNCIATION (1.9-vi): *bank, bankee; b'ʒeg, b'ʒegee; rrock, lata; kloob, kloobi; oʒeн, oʒeнi; leesh-ch, leesh-cheh; kon'yuh, kon'yeh; cry, cryeh; p'yets, p'yetseh.*

(b) *Feminine*
The feminine nominative plural endings are the same as for masculine 'object and animal' nouns, and replace the **-a** of the singular noun with:

-i after **k, g**:

apteka	**apteki**	pharmacies
droga	**drogi**	roads

-y after other hard consonants:

kobieta	**kobiety**	women
ryba	**ryby**	fish
siostra	**siostry**	sisters

-e after a soft consonant, and **-c**:

pani	**panie**	ladies
ulica	**ulice**	streets

IMITATED PRONUNCIATION (1.9-vii): *apteka, aptekee; drroga, drrogee; kob'yeta, kob'yetee; rriba, rribee; sh'ostra, sh'ostree; panee, pan'yeh; ooleetsa, ooleetseh.*

(c) *Neuter*

Almost all neuter nominative plurals end in **-a**.

drzewo	**drzewa**	trees
muzeum	**muzea**	museums
okno	**okna**	windows
pole	**pola**	fields

NOTE the exception:

dziecko	**dzieci**	children

The exception is nouns where the nominative singular ends in **-ę**. These nouns expand their stem so that:

(i) **-mię** becomes **-miona**:

imię	**imiona**	names
ramię	**ramiona**	shoulders

(ii) **-ę** becomes **-ęta**:

dziewczę	**dziewczęta**	girls
zwierzę	**zwierzęta**	animals

For a summary of nominative endings, see p. 166.

IMITATED PRONUNCIATION (1.9-viii): *d'jevo, d'jeva; moozayum, moozaya; okno, okna; poleh, pola; jetsko, jetchee; eem'yeh, eem'yona; rram'yeh, rram'yona; jev-cheh, jev-chENta; zve-erjeh, zve-erjENta.*

Exercise 5

Give the nominative plurals of the following nouns:

1 zdjęcie	6 podpis
2 lot	7 karta
3 miasto	8 miejsce
4 lotnisko	9 mapa
5 stacja	10 dom

1.10 Adjectives

Adjectives – words which describe nouns – agree in gender, number and case with the nouns to which they refer. In the <u>singular</u> there are <u>three forms</u>:

Masculine	Feminine	Neuter

but in the <u>plural</u> there are only <u>two forms</u>:

Masculine: people   Masculine: animals/objects
                           Feminine
                           Neuter

● The adjective endings in the <u>nominative singular</u> are:

masculine: **-i** after **-k**, **-g** and soft consonants
   tani bilet   cheap ticket
and **-y** after other hard consonants
   mądry student   wise student
feminine: **-a**
   młoda kobieta   young woman
neuter: **-e**
   małe dziecko   small child

● Adjective endings in the <u>nominative plural</u> are:

masculine (people): **-y** or **-i**
   mądrzy studenci wise students
Note the following changes:

m. singular	plural masc. and mixed gender persons	
dobry	**dobrzy** (r→rz)	good
drogi	**drodzy** (g→dz)	dear
angielski	**angielscy** (k→c)	English
młody	**młodzi** (d→dzi)	young
cały	**cali** (ł→li)	whole
duży	**duzi** (ż→zi)	large
pierwszy	**pierwsi** (sz→si)	first

masculine (animals and objects): **-e**
   młode koty   young cats
feminine: **-e**
   młode córki   young daughters
neuter: **-e**
   młode drzewa   young trees

IMITATED PRONUNCIATION (1.10): *tan-ee beelet; mAWNdri stoodent; m'woda kob'yeta; ma'weh jetsko; mAWNdʒi stoodent-chee; dobrri; dobʒi; droggee; drodzi; ang'yelskee; ang'yelstsi; m'wodi; m'wodjee; tsa-we;*

tsalee; dooji; doojee; p'yerrv-shi; p'yerrv-shee; m'wodeh kotti; m'wodeh tsoorrki; m'wodeh d'jeva.

1.11 Possessives

Possessives (in English, 'my', 'your', etc.) are pronouns indicating, as the name suggests, who the noun belongs to. In Polish possessive adjectives (in front of a noun) behave like any other adjectives and take their endings accordingly, agreeing in case and gender with the noun they qualify. Here they are in the nominative case.

	Singular			*Plural*	
	Masc.	*Fem.*	*Neuter*	*Masc.*	*Other masc., fem., neut.*
my	mój	moja	moje	moi	moje
your	twój	twoja	twoje	twoi	twoje
his	jego	jego	jego	jego	jego
her	jej	jej	jej	jej	jej
its	jego	jego	jego	jego	jego
our	nasz	nasza	nasze	nasi	nasze
your	wasz	wasza	wasze	wasi	wasze
their	ich	ich	ich	ich	ich

For example:

twój *(fam.)* syn	your son
moja matka	my mother
jego dziecko	his child
nasi królowie	our kings
wasza królowa	your queen
ich imiona	their names

The possessive **jego**, **jej** and **ich** remain unchanged in all cases, while the others take normal adjectival endings.

The polite form of 'your', to go with **pan** etc., does not agree with the noun it goes with. In the singular it is: **pana** (*m.*), **pani** (*f.*), and in the plural **panów** (for men only), **pań** (women only) and **państwa** (mixed gender).

IMITATED PRONUNCIATION (1.11): *mooy, mo-ya, mo-yeh; tvooy, tvo-ya, tvo-yeh; yaygo; yey'; nash, nasha, nasheh; vash, vasha, vasheh; eeн; moyee, mo-yeh; tvoyee, tvo-yeh; yaygo; yey'; nashee, nasheh; vashee, vasheh; eeн; tvooy sin; mo-ya matka; yaygo jetsko; nashee krrool-ov'yeh;*

vasha krrool-ova; eeн eem'yona; pan, pana, panee; pan-oov, paAN, paAN-stva.

VOCABULARY

brytyjski	British
czerwony	red
duży	large
granatowy	navy blue
kto	who
ładny	pretty
mały	small
młody	young
niebieski	blue
nowy	new
polski	Polish
stary	old
tani	cheap
walizka	suitcase

IMITATED PRONUNCIATION (Vocabulary): *bree-teeskee; cherrvoni; dooji; granatovi; kto; wadni; ma'wi; m'wodi; n'ye-b'yeskee; novi; polskee; stari; tanee; valeezka.*

Exercise 6

Translate into Polish:

1 These are very cheap tickets.
2 We are Mr and Mrs Werner and they are Mr and Mrs Skate.
3 We're not very old.
4 Warsaw is very pretty.
5 Is Mr Skate old? No, he's young.
6 Is this a British passport?
7 No, this is a new navy blue passport. Old British passports are navy blue and the new ones are red. Polish passports are navy blue.
8 This is my suitcase. It's not large; it's small.
9 Who is that?
10 That is a Polish customs officer.

Lesson 2

2.1 Verb conjugations – present tense

The form of the verb listed in the vocabulary lists and in dictionaries is the infinitive. Most infinitives end in **-ć** or **-ść**, and the present tense is formed by removing the **-ć** or **-ść**, often together with the preceding vowel, and replacing it with a pattern of endings.

In the present tense Polish verbs fall into four conjugations, or patterns of endings. These are fairly similar and easy to remember. The conjugation of verbs is indicated in the vocabulary list by a number in brackets:

pić (I)	to drink
spać (II)	to sleep

Probably the easiest way to remember a conjugation is to memorize the first and second persons singular of the verb as you learn it. The first and second person singular endings of the four conjugations are:

Conjugation	1st pers.	2nd pers.
I	**-ę**	**-esz**
II	**-ę**	**-isz, -ysz**
III	**-am**	**-asz**
IV	**-em**	**-esz**

2.2 Conjugation I

Verbs belonging to the first conjugation take the following endings:

-ę	**-emy**
-esz	**-ecie**
-e	**-ą**

Remember that the **-esz** and **-ecie** forms are only used in limited circumstances – section 1.5. Normally you should use **pan**, etc., and the **-e** or **-ą** form of the verb as appropriate.

Verbs ending in **-ić** or **-yć** in the infinitive insert 'j' before these endings:

pić (to drink)		**myć** (to wash)	
ja piję		ja myję	
ty pijesz		ty myjesz	
on		on	
ona	pije	ona	myje
ono		ono	
my pijemy		my myjemy	
wy pijecie		wy myjecie	
oni	piją	oni	myją
one		one	

IMITATED PRONUNCIATION(2.2-i): *peetch; ya pee-yEN; ti pee-yesh; on/onna/onno pee-yeh; mi pee-yemi; vi pee-yetch'yeh; onni/onneh pee-yAWN; mitch; ya mi-yEN; ti mi-yesh; on/onna/onno mi-yeh; mi mi-yemi; vi mi-yetch'yeh; onni/onneh mi-yAWN.*

In other first conjugation verbs the final consonant of the stem is always hard before **-ę** and **-ą**, but soft in the other forms. Note also the vowel change in **nieść.**

płynąć (to sail)		**nieść** (to carry)	
ja płynę		ja niosę	
ty płyniesz		ty niesiesz	
on		on	
ona	płynie	ona	niesie
ono		ono	
my płyniemy		my niesiemy	
wy płyniecie		wy niesiecie	
oni	płyną	oni	niosą
one		one	

IMITATED PRONUNCIATION(2.1-ii, omitting pronouns from now on): *p'win-AWNtch; p'win-EN; p'win-yesh; p'win-yeh; p'win-yemi; p'win-etch'yeh; p'win-AWN; n'yesh'ch; n'yos-EN; n'yesh-esh; n'yesh-eh; n'yesh-emi; n'yesh-yetch'yeh; n'yos-AWN.*

Verbs with an infinitive ending in **-ować** or **-ywać** drop all of this and insert **-uj** before the present tense endings:

chorować (to be ill)	**dziękować** (to thank)
ja choruję	**ja dziękuję**
ty chorujesz	**ty dziękujesz**
on ⎫	**on** ⎫
ona ⎬ **choruje**	**ona** ⎬ **dziękuje**
ono ⎭	**ono** ⎭
my chorujemy	**my dziękujemy**
wy chorujecie	**wy dziękujecie**
oni ⎫ **chorują**	**oni** ⎫ **dziękują**
one ⎭	**one** ⎭

IMITATED PRONUNCIATION (2.2-iii): *Hor-ro-vatch; Hor-roo-yEN; Hor-roo-yesh; Hor-roo-yeh; Hor-roo-yemi; Hor-roo-yetch'yeh; Hor-roo-yAWN; jEN-kov-atch; jEN-koo-yEN; jEN-koo-yesh; jEN-koo-yeh; jEN-koo-yemi; jEN-koo-yetch'yeh; jEN-koo-yAWN.*

The verbs **iść** and **jechać** have irregular stems.

iść (to go, walk)	**jechać** (to drive, go using transport)
ja idę	**ja jadę**
ty idziesz	**ty jedziesz**
on ⎫	**on** ⎫
ona ⎬ **idzie**	**ona** ⎬ **jedzie**
ono ⎭	**ono** ⎭
my idziemy	**my jedziemy**
wy idziecie	**wy jedziecie**
oni ⎫ **idą**	**oni** ⎫ **jadą**
one ⎭	**one** ⎭

IMITATED PRONUNCIATION (2.2-iv): *eeshch; eed-EN; eed-jesh; eed-jeh; eed-jemi; eed-jetch'yeh; eed-AWN; yeH-atch; yad-EN; yed-jesh; yed-jeh; yed-jemi; yed-jetch'yeh; yad-AWN.*

2.3 Conjugation II

Verbs belonging to the second conjugation take the following endings:

-ę,	**-imy, -ymy**
-isz, -ysz	**-icie, -ycie**
-i, -y	**-ą**

robić (to do)

ja robię	my robimy
ty robisz	wy robicie
on ⎫	oni ⎫
ona ⎬ robi	one ⎭ robią
ono ⎭	

lubić (to like)

ja lubię	my lubimy
ty lubisz	wy lubicie
on ⎫	oni ⎫
ona ⎬ lubi	one ⎭ lubią
ono ⎭	

mówić (to say)

ja mówię	my mówimy
ty mówisz	wy mówicie
on ⎫	oni ⎫
ona ⎬ mówi	one ⎭ mówią
ono ⎭	

IMITATED PRONUNCIATION (2.3-i): *rob-eetch; rob'yEN; rob-eesh; rob-ee; rob-ee-mi; rob-eetch'yeh; rob-yAWN; loob-eetch; loob'yEN; loob-eesh; loob-ee; loob-ee-mi; loob-eetch'yeh; loob'yAWN; moo-veetch; moov'yEN; moov-eesh; moov-ee; moov-ee-mi; moov-eetch'yeh; moov'yAWN.*

There are a number of verbs with infinitives ending in **-sić, -zić, -ździć** which change consonants in the first person singular and third person plural. **Prosić** (to ask) is one important example:

prosić (to ask)

ja proszę	my prosimy
ty prosisz	wy prosicie
on ⎫	oni ⎫
ona ⎬ prosi	one ⎭ proszą
ono ⎭	

Remember that the letter **i** doesn't follow the hard sounds **-cz, -szcz, -sz, -ż (rz), -dż**. So where the stem ends in these consonants **y** replaces **i**, as in the verb **krzyczeć** (to shout):

krzyczeć (to shout)

ja krzyczę	my krzyczymy
ty krzyczysz	wy krzyczycie

on ⎫
ona ⎬ krzyczy
ono ⎭

oni ⎫
one ⎬ krzyczą

There are, of course, some irregular verbs, such as:

spać (to sleep)

ja śpię	my śpimy
ty śpisz	wy śpicie

on ⎫
ona ⎬ śpi
ono ⎭

oni ⎫
one ⎬ śpią

IMITATED PRONUNCIATION (2.3-ii): *pros-eetch; prosh-EN; prosh-eesh; prosh-ee; prosh-ee-mi; prosh-eetch'yeh; prosh-AWN; k'ʒit-chetch; k'ʒit-chEN; k'ʒit-chish; k'ʒit-chi; k'ʒit-chimi; k'ʒit-chich'yeh; k'ʒit-chAWN; spatch; shpee-EN; shpeesh; shpee; shpee-mi; shpee-ch'yeh; shpee-AWN.*

2.4 Reflexive verbs

Reflexive verbs are verbs where the subject and the object are the same person or thing. Some verbs are reflexive in Polish but not in English. Reflexive verbs in Polish are very simple and require nothing more than the addition of **się** to ordinary verbs which are then conjugated like any other. Unlike in English or French, the **się** remains unchanged regardless of the person it refers to.

So:

cieszyć się (to be pleased)

ja się cieszę	my się cieszymy
ty się cieszysz	wy się cieszycie

on się ⎫
ona się ⎬ cieszy
ono się ⎭

oni się ⎫
one się ⎬ cieszą

NOTE: In a question, **się** precedes the verb, rather than going to the end of a sentence:

Czy pan się cieszy? Are you pleased?
Czy państwo się cieszą? Are you pleased (*pl.*)?

IMITATED PRONUNCIATION (2.4): *chesh-itch shEN; shEN chesh-en; shEN chesh-ish; shEN cheshi; shEN chesh-imi; shEN chesh-itch'yeh; shEN chesh-AWN; chi pan shEN cheshi; chi paAN-stvo shEN chesh-AWN.*

2.5 Reflexive possessive pronouns

There is a special possessive pronoun in Polish – **swój, swoja, swoje** – which refers back to the subject of the sentence. This avoids the ambiguity in a sentence such as 'He likes his wife', by adding the sense of 'own'. Like **się**, **swój** is the same for all persons, but remember that it is an adjective and must agree with the noun it goes with:

Maria myje swój talerz. Maria is washing her (own) plate.
Ja niosę swoją książkę. I'm carrying my (own) book.

IMITATED PRONUNCIATION (2.5): *svooy, svo-ya, svo-yeh; marria mi-yeh svooy taleʒ; ya n'yos-EN svoy-AWN k'shAWNʒ-keh.*

VOCABULARY

ale	but
bułka	bread roll
co	what?
często	often
dziś	today
herbata	tea
jabłko	apple
kawa	coffee
mąż	husband
miły	pleasant, likeable
myć się	to wash oneself
nic	nothing
oczywiście	obviously, of course
pięknie	beautifully
pomidor	tomato
tańczyć (II)	to dance
zawsze	always
że	that
żona	wife

IMITATED PRONUNCIATION (Vocabulary): *aleh; boo'w-ka; tso; chENsto; jeesh; Herr-ba-ta; yab'wuh-ko; kava; mAWNj; mee'wi; mitch shEN; nits; otchi-vish-ch'yeh; pee'ENk-n'yeh; pom-ee-dorr; taANtch-itch; zafsheh; jeh; jona.*

Exercise 7

Fill in the correct endings and translate the sentences:

1 Czy ty się ciesz(. . .)?
2 Oczywiście, że (. . .) nie ciesz(. . .). [*1st pers. sing.*]
3 Państwo Skate są bardzo mili, ale zawsze choruj(. . .).
4 Pani Rumian często pij(. . .) herbatę.
5 Zosia pięknie tańcz(. . .).
6 Co wy rob(. . .)?
7 My nic nie rob(. . .).
8 Czy ona się my(. . .)?

2.6 Numerals 1–4

0 **zero**
1 **jeden**
2 **dwa**
3 **trzy**
4 **cztery**

Numbers, in Polish, decline. The numbers one to four behave like adjectives and take different endings, agreeing with the nouns to which they refer.

- **Jeden**, meaning 'one', has three forms:

Masc.	*Fem.*	*Neut.*
jeden	jedna	jedno

jeden mężczyzna	one man
jedna żona	one wife
jedno dziecko	one child

The plural form of **jeden** may seem a contradiction in terms but it does exist and it means 'some'. There are only two forms in the nominative plural:

Masc.	Masc. + Fem. + Neut.
(pers.)	(animals + obj.)
jedni	jedne

Jedne kobiety są tu, a inne są tam.
Some women are here, but others are there.

● **Dwa, trzy, cztery**

Masc. (pers. only)	Other masc. + Neut.	Fem.	Mixed
dwaj	dwa	dwie	dwoje
trzej	trzy	trzy	troje
czterej	cztery	cztery	czworo

dwaj panowie	two gentlemen
dwa jabłka	two apples
dwie pomarańcze	two oranges
trzej mężczyźni	three men
czworo dzieci (mixed)	four children

IMITATED PRONUNCIATION (2.6): zairo; yed-den; dva; t'shi; ch'teri; yed-den, yedna, yedno; yed-den MENJchizna; yedna jona; yedno jetsko; yednee, yedneh; yedneh kob'yetee SAWN too, a inneh SAWN tam; dvye, dva, dv-yeh, dvoyeh; tshey, tshi, tshi, troyeh; ch'terey, ch'teri, ch'teri, ch'voro; dvye panov'yeh; dva yab'wuka; dv-yeh poma-RAN-cheh; tshey MENJ-chijnee; ch'voro jetchee.

Exercise 8
Write out in full:

1 2 jabłka
2 1 bułka
3 4 kawy
4 2 mężczyźni
5 2 siostry
6 1 herbata
7 2 pomidory
8 2 synowie
9 2 córki
10 1 żona

2.7 Accusative case

The accusative case is the case which denotes the object of an action. It is, as it were, at the receiving end of a direct verb but its use is not limited to this one relationship. It is also used after a number of prepositions and prepositional phrases, but this will be dealt with later on in the lesson (see 2.9). For now just try to let the accusative endings sink in. For a summary see p. 167.

● **Accusative singular**

(a) *Masculine inanimate (objects)* + *neuter*

Again, masculine nouns are divided into two groups – masculine objects, and masculine persons and animals. But fortunately neuter nouns and adjectives as well as masculine objects have the same form in the accusative singular as in the nominative singular form. So:

Masc. inanimate

Nom.	**mój nowy stół**	**wasz ciężki bagaż**
Acc.	**mój nowy stół**	**wasz ciężki bagaż**
	my new table	your heavy luggage

Neuter

Nom.	**młode drzewo**	**dobre mięso**
Acc.	**młode drzewo**	**dobre mięso**
	young tree	good meat

Maria kupuje niebieski płaszcz.
Maria is buying a blue coat.

Barbara i Jerzy widzą małe dziecko.
Barbara and Jerzy see a small child.

NOTE: Neuter nouns ending in **-um** remain the same in all cases in the singular.

IMITATED PRONUNCIATION (2.7-i): *mooy novi stoow'; vash chENʒkee bagaʒ; m'wodeh d'ʒevo; dobreh m'yENso; m̲a̲rria koop-ooyeh n'ye-b'yeskee pwashch; barba̲rra ee yeʒi veed-zAWN maweh jetsko.*

(b) *Masculine animates (people and animals)*

Nouns add **-a**

Adjectives replace **-i** or **-y** with **-ego**

Nom.	**stary chłop**	**słaby aktor**	**ładny koń**
Acc.	**starego chłopa**	**słabego aktora**	**ładnego konia**
	old peasant/chap	poor actor	handsome horse

Widzimy pięknego, dużego kota.
We see a beautiful, big cat.

IMITATED PRONUNCIATION (2.7-ii): *stari HWOp; starrego HWOppa; swabi actorr; swabego actorra; wadni kon'yuh; wadnego kon'ya; veejeemi pe'eENk-nego, doojego kotta.*

(c) *Feminine*

Where a noun ends in **-a** or **-i**, the **-a** or **-i** is replaced by **-ę**. But where it ends in a consonant, the accusative singular is the same as the nominative singular.

In adjectives **-a** becomes **-ą**.

Nom.	**silna kobieta**	**droga apteka**
Acc.	**silną kobietę**	**drogą aptekę**
	strong woman	expensive chemist's

Nom.	**długa ulica**	**czarna noc**
Acc.	**długą ulicę**	**czarną noc**
	long road	black night

Marek pije mocną herbatę.   Marek drinks strong tea.
Bardzo często jesz rybę.   You eat fish very often.

NOTE: **Pani** is an exception to the rule and becomes **panią** in the accusative singular. So:

(Ja) Widzę panią.   I see you. (*pol. fem. sing.*)

IMITATED PRONUNCIATION (2.7-iii): *sheelna kob'yeta; sheel-nAWN kob'yet-EN; drogga apteka; drogAWN aptek-EN; dwooga ooleetsa; dwoo-gAWN ooleetsEN; charrna nots; charr-nAWN nots; marek peeyeh mots-nAWN HErrbatEN; barrdzo chENsto yesh rribEN; pan'yee, pan'yAWN; (yah) vidsEN pan'yAWN.*

• Accusative plural

(a) *Masculine animate (persons only)*

Nouns add **-ów** to the nominative singular form.

Adjectives add **-ch** to the nominative singular. The **-y** following the hard consonant becomes **-ych**, and the **-i** following a soft or softened consonant becomes **-ich**. So:

N.s	**młody chłop**	**ładny aktor**	**nasz niski profesor**
A.pl.	**młodych chłopów**	**ładnych aktorów**	**naszych niskich profesorów**
	young peasants	handsome actors	our short professors

Matki myją brudnych synów.   Mothers wash (their) dirty sons.

NOTE: Certain masculine nouns referring to persons take **-y** or **-i** in the accusative plural. Generally these are the nouns which take **-e, -ie** or **-ia** in the nominative plural (see 1.9). For example:

Nom. sing.	*Nom. pl.*	*Acc. pl.*
lekarz	**lekarze**	**lekarzy**
nauczyciel	**nauczyciele**	**nauczycieli**
brat	**bracia**	**braci**

IMITATED PRONUNCIATION (2.7-iv): *m'wodi нwop; m'wodiн нwop-oof; wadni actorr; wadniн actorr-oof; nash neeskee professorr; nashiн nees-keeн professorr-oof; matkee mi-yAWN brood-niн sinoof; lekaʒ, lekaʒeh, lekaʒi; now-chichel, now-chich-eleh, now-chich-elee; brrat, brratcha, brratchee.*

(b) *Masculine objects + animals, feminine, neuter*

Nouns: Another easy group! The accusative plural of masculine nouns denoting objects and animals and of feminine and neuter nouns is the same as the nominative plural.

Adjectives end in **-e**, so that **-y, -a** and **-e** all become **-e**.

	Masc. (animals + obj.)	*Fem.*	*Neut.*
Nom. sing.	**stary koń**	**silna kobieta** **długa ulica**	**dobre auto**
Acc. pl.	**stare konie**	**silne kobiety** **długie ulice**	**dobre auta**
	old horses	strong women long roads	good cars

Maciek widzi wielkie konie.   Maciek sees large horses.
Kasia lubi nowe suknie.   Kasia likes new dresses.

IMITATED PRONUNCIATION (2.7-v): *stari kon'yuh; stareh kon'yeh; sheelna kob'yeta; sheelneh kob'yeti; dwooga ooleetsa; dwoog'yeh ooleetseh; dobreh owto; dobreh owta; matchek veejee v'yelk'yeh kon'yeh; kasha loobee noveh sookn'yeh.*

2.8 Personal pronouns – accusative case

Singular   *Plural*

Nom.	Acc.	Nom.	Acc.
ja	mnie, mię	my	nas
ty	ciebie, cię	wy	was
on	jego, go, niego	oni	ich, nich
ona	ja, nią	one	je, nie
ono	je, nie		

The short forms **mię**, **cię**, **go** are used where the pronoun is not being stressed.

Lubię ciebie (*fam.*), **a nie jego.**   I like you, not him.
Widzę go.   I see him.

Niego, **nią**, **nie**, **nich**, **nie** are used where they follow a preposition. (Prepositions which govern the accusative case are explained below.)

Jan czeka na nią.   John is waiting for her.
Monika pyta się o nich.   Monica is asking after them.

IMITATED PRONUNCIATION (2.8): *mn'yeh, m'yEN; cheb'yeh, chEN; yego, go, n'yego; ya, n'yAWN; jeh, n'yeh; nas; vas; eeH, neeH; yeh, n'yeh; loob'yEN cheb'yeh, a n'yeh yego; vidsEN go; yan cheka na n'yAWN; moneeka pitta shEN oniH.*

2.9 Prepositions/prepositional phrases and the accusative case

The accusative case follows certain prepositions and prepositional phrases. These include:

- **na** following verbs of motion (**iść** 'go to' on foot, **jechać** 'go to' using transport). **Na** can mean:

  (a) 'to':

Idę na pocztę.	I'm going to the post office.
Jadę na miasto.	I'm going to town.

  (b) 'to, for, on':

Idę na obiad.	I'm going for dinner.
Jadę na koncert.	I'm going to a concert.
Jadę na urlop.	I'm going on holiday.

- **przez**, meaning 'across', 'through':

Idę przez park.	I'm going through the park.
Jadę przez pustynię.	I'm crossing the desert.
Przechodzę przez ulicę.	I'm crossing the street.

- **czekać** (III)* **na** 'to wait for':

Czekam na ojca.	I'm waiting for my father.

- **przepraszać** (III)* **za** 'to apologize for':

Jan przeprasza za spóźnienie.	Jan apologizes for the delay/for being late.

- **mieć** (III)* **czas na** 'to have time for':

Czy mają państwo czas na herbatę?	Do you have time for tea?

- **pytać** (III)* **się o** 'to ask for/about':

Monika pyta się o godzinę.	Monika is asking the time.

- **prosić o** (II) 'to ask for':

Jerzy prosi o adres.	Jerzy asks for the address.

* The conjugations of these verbs are dealt with in Lesson 3.

IMITATED PRONUNCIATION (2.9): *na; eedEN na potch-tEN; yahdEN na m'yasto; eedEN na ob'yad; yahdEN na kontserrt; yahdEN na oorrlop. p'shess; eedEN p'shess parrk; yahdEN p'shess poos-tin'yEN; p'sheH-odsEN p'shess ooleetsEN. chekatch na; chekam na oytsa. p'shep-rash-atch za; yan p'shep-rasha za spooj-n'yen'yeh. m'yeetch chas na; chi ma-yAWN paANstvo chas na HerrbatEN. pitatch shEN o; moneeka pitta shEN o godj-eenEN. proseetch o; yeji proshee o adress.*

42

VOCABULARY

a	and, but, whereas
czarny	black
dlaczego	why
dziś	today
siedzieć (II)	to sit
wieczór	evening
wieczorem	in the evening
zakupy	shopping

IMITATED PRONUNCIATION (Vocabulary): *a; charrni; d'latch-ego; jeesh; shej-etch; v'yetch-oor; v'yetch-orem; zakoopi.*

Exercise 9

Fill in the appropriate endings on the verbs and translate the sentences into English:

1 Co ty mów.....?
2 Co rob..... (*we*) dziś wieczorem?
3 Dlaczego krzycz..... (*you, fam.*) na nią? Ona siedz..... i nic nie rob..... .
4 Czy państwo lub..... czarną kawę?
5 My pro..... o kawę a one pro..... o herbatę.
6 Czy ty rob..... zakupy, czy Marta?

Lesson 3

3.1 Conjugation III

Conjugation III is simple. Just add the following endings after removing the final **-ać** from the infinitive:

-am	**-amy**
-asz	**-acie**
-a	**-ają**

czytać (to read)
ja czytam
ty czytasz
on ⎫
ona ⎬ czyta
ono ⎭

my czytamy
wy czytacie
oni ⎫ czytają
one ⎭

pływać (to swim)
ja pływam
ty pływasz
on ⎫
ona ⎬ pływa
ono ⎭

my pływamy
wy pływacie
oni ⎫ pływają
one ⎭

Unlike in many other languages, in Polish the verb 'to have' (**mieć**) is not an auxiliary verb and generally just denotes possession. It is also used in certain idiomatic expressions but you will find that even these idioms suggest some idea of possession. **Mieć** is, however, an important verb. As you see, the stem alters, but it takes regular Conjugation III endings.

mieć (to have)
ja mam
ty masz
on ⎫
ona ⎬ ma
ono ⎭

my mamy
wy macie
oni ⎫ mają
one ⎭

Mieć się has the idiomatic meaning of 'to feel' (state of health):

Jak się pan ma? How are you?
Mam się dobrze, dziękuję. I'm well, thank you.

3.2 Conjugation IV

Only one more conjugation in the present tense! And don't lose heart – the four conjugations apply only to the present tense. The other tenses are much easier to learn.

This group of verbs is not large, but its members tend to be irregular. The stems of these verbs, unfortunately, just have to be learnt by heart. But again the general rule is – remove the infinitive ending and add the following endings:

-em	-emy
-esz	-ecie
-e	-eją

rozumieć (to understand)
ja **rozumiem**
ty **rozumiesz**
on
ona } **rozumie**
ono

my **rozumiemy**
wy **rozumiecie**
oni
one } **rozumieją**

umieć (to be able to)
ja **umiem**
ty **umiesz**
on
ona } **umie**
ono

my **umiemy**
wy **umiecie**
oni
one } **umieją**

Notice the **-edzą** ending instead of **-eją** in the next two verbs. Also, the stem of **wiedzieć** is irregular.

wiedzieć (to know a fact)
ja **wiem**
ty **wiesz**
on
ona } **wie**
ono

my **wiemy**
wy **wiecie**
oni
one } **wiedzą**

jeść (to eat)
ja **jem**
ty **jesz**
on
ona } **je**
ono

my **jemy**
wy **jecie**
oni
one } **jedzą**

VOCABULARY

angielski	English (*adj.*)
bo	because

ciekawy	interesting
codziennie	every day
czekać (III)	to wait
długo	long, for a long time
gazeta	newspaper
gdzie	where
gotować (I)	to cook, boil
jak	when
kolacja	supper
książka	book
kupować (I)	to buy
masło	butter
mieszkać (III)	to live
mleko	milk
nazywać się (III)	to be called
odpoczywać (III)	to rest
oglądać (III)	to look at, watch
pamiętać (III)	to remember
przepraszać (III)	to apologize
smaczny	tasty
spóźniać się (III)	to be late
śniadanie	breakfast
telewizja	television
teraz	now
wcześnie	early
zmęczony	tired

Exercise 10

Translate into Polish:

1 What are you (*fam. sing.*) reading?
2 I'm reading a very interesting book.
3 What's your name (*pol. to woman*) (*lit.* What are you called)?
4 Where do you live (*pol. to man*)?
5 I'm resting now because I'm tired. (*man speaking*)
6 Today we're watching television.
7 Do they (*women*) remember my surname?
8 Have you (*pol. to woman*) been waiting long? (*lit.* Are you waiting long?)
9 I know that he buys an English newspaper every day.
10 Andrzej always apologizes when he's late.
11 My husband is cooking a very tasty supper.
12 It's early, I've got time for breakfast. Coffee, milk, one roll and butter (*all acc.*), please.

3.3 Genitive case

The genitive is a case form which literally means 'of (somebody or something)', as in 'a glass of water' or 'the dancer's shoes' – as explained in section 1.8. In Polish the genitive noun usually follows the noun or nouns it is qualifying.

płaszcz ojca	the father's coat
zakupy matki	the mother's shopping

It it frequently used in Polish, and later you'll be told how. But to begin with, study the following notes on how to form the genitive. As the guidelines are quite complex, genitive forms are listed in the wordlist at the end of the book.

- **Singular nouns**

(a) Genitive singular <u>masculine nouns</u> add either **-a** or **-u** to the nominative singular form.

   The nouns which take **-a** are:
   (i) all animate masculine nouns, i.e. those pertaining to persons or animals, such as:

sąsiad – sąsiada	neighbour
kot – kota	cat
lekarz – lekarza	doctor
człowiek – człowieka	man, human being

   (ii) months of the year, weights and measures, most Polish towns, tools:

styczeń – stycznia	January
lipiec – lipca	July
litr – litra	litre
kilogram – kilograma	kilo
funt – funta	pound
Gdańsk – Gdańska	
Kraków – Krakowa	
nóż – noża	knife
ołówek – ołówka	pencil

   All other inanimate masculine nouns take **-u**. For example:

ból – bólu	pain
naród – narodu	nation
cukier – cukru	sugar
teatr – teatru	theatre

Londyn – Londynu	London
Rzym – Rzymu	Rome

However, there are some exceptions in this latter category:

Izrael – Izraela	Israel
Paryż – Paryża	Paris
Berlin – Berlina	Berlin

NOTE: The last vowels of certain nouns undergo a change. The principal changes are:

e is omitted
ó becomes **o**
ą becomes **ę**

sen – snu	dream
stół – stołu	table
mąż – męża	husband

(b) Genitive singular feminine nouns replace the final **-a** of the nominative singular with either **-y** or **-i**.

  -y is used following a hard or hardened consonant:

kobieta – kobiety	woman
cisza – ciszy	silence

  -i is used following a soft consonant, **l**, **k**, or **g**:

książka – książki	
fala – fali	wave
ziemia – ziemi	earth

  Pani remains the same as the nominative singular.

(c) Genitive singular <u>neuter nouns</u> are the simplest to learn! In all of them the final **-o** or **-e** of the nominative singular is exchanged for **-a**:

okno – okna	window
oko – oka	eye
zdjęcie – zdjęcia	photograph

However, nouns ending in **-ę** are an exception. The stems expand so that:

imię – imienia	name
cielę – cielęcia	calf
zwierzę – zwierzęcia	animal

| dziewczę – dziewczęcia | girl |
| kurczę – kurczęcia | chicken |

● **Singular adjectives**

(a) All genitive singular <u>masculine and neuter adjectives</u> end in **-ego**. Some examples of this simple rule are:

mój – mojego	my
młody – młodego	young
słaby – słabego	weak

NOTE: All adjectives with stems ending in **-k** or **-g** have **-i** before the final **-ego**:

| polski – polskiego | Polish |
| drogi – drogiego | dear |

(b) All genitive singular <u>feminine adjectives</u> end in **-ej**:

moja – mojej
młoda – młodej
słaba – słabej

● **Plural nouns**

(a) Genitive plural masculine nouns end in either **-ów**, **-i** or **-y**, depending on the last consonant of the stem.

Most end in **-ów**:

sąsiad – sąsiadów	
las – lasów	forest
ogród – ogrodów	garden
chłopiec – chłopców	boy
widelec – widelców	fork
krawiec – krawców	tailor

-i follows a soft consonant:

gość – gości	guest
dzień – dni	day
koń – koni	

Exceptions:

| uczeń – uczniów | pupil |
| kraj – krajów | |

-y follows the hardened consonants and a few exceptions ending in **-c**:

pisarz – pisarzy	writer
pieniądz – pieniędzy	money
miesiąc – miesięcy	month
tysiąc – tysięcy	thousand

(b) Genitive plural <u>feminine nouns</u> fall into the following categories.

Nouns ending in **-a** drop the final **-a** (**pani** drops the final **-i**):

kobieta – kobiet	
taśma – taśm	tape
pani – pań	
głowa – głów	head
noga – nóg	leg
ręka – rąk	hand

All the others take **-i** or **-y**:

sól – soli	salt
noc – nocy	night

(c) Genitive plural <u>neuter nouns</u> ending in **-e** or **-o** drop the final vowel and, as in the case of feminine nouns, the penultimate vowel is in some instances omitted, changed or inserted:

zdjęcie – zdjęć	
ciało – ciał	body
jabłko – jabłek	
okno – okien	
święto – świąt	feast-day

Those neuter nouns ending in **-um** substitute the **-um** with **-ów**:

muzeum – muzeów

Genitive plural **-ę** nouns are formed as follows:

imię – imion
cielę – cieląt
zwierzę – zwierząt

etc.

• Plural adjectives

All genitive plural adjectives end in **-ych** or **-ich**. The **-ich** ending is used following **k**, **g** or a soft consonant.

młody – młodych	
drogi – drogich	
mój – moich	
tani – tanich	
kobieca – kobiecych	feminine
droga – drogich	
szerokie – szerokich	wide
wasze – waszych	
zdrowe – zdrowych	healthy

There is a summary of genitive case endings on p. 168.

VOCABULARY

chleb	bread (loaf)
ciężki	heavy
długi	long
hotel	hotel
kilo (*indeclinable*)	kilo(gramme)
kolega (*m.*), koleżanka (*f.*)	friend, colleague
koszt	cost
list	letter
pasażer	passenger
pokój	room
pół kilo	half a kilo
przystanek (autobusowy)	bus stop
ser	cheese
smak	taste
wino	wine
wysoki	high, tall
zimny	cold

Exercise 11

Translate into Polish:

1 the mother's heavy shopping
2 the boys' large suitcases
3 a friend's cheap ticket
4 the passenger's navy blue passport

5 the doctor's interesting book
6 the long streets of the city
7 the cold rooms of the hotel
8 the taste of wine
9 the high cost of bread
10 his sister's long letter
11 A kilo of red tomatoes, please.
12 Half a kilo of cheese, please.

3.4 Cardinal numbers

The formation and declension of the numbers one to four have already been explained (2.6). Numbers from five upwards are simpler. They have only two forms:

(a) Masculine (persons only) numbers and the nouns they qualify are in the <u>genitive</u> case.
(b) All the other numbers are in the <u>nominative/accusative</u> although the nouns they qualify are in the genitive case.
(c) The ending **-oro** (**pięcioro, sześcioro, siedmioro**, etc.) is used to denote mixed gender and animate neuter.
    Widzę pięcioro dzieci.
    I see five children.
(d) Numbers over 4 take a singular verb.
    Siedmiu mężczyzn pije kawę.
    Seven men are drinking coffee.

NOTE: In compound numbers from 20 upwards it is only the last component of the number which takes the **-oro** ending.

0	**zero**	
1	**jeden, jedna, jedno**	
2	**dwa, dwaj, dwie, dwoje**	
3	**trzy, trzej, troje**	
4	**cztery, czterej, czworo**	

	masc. (pers.)	*all other nouns*
5	**pięciu**	**pięć**
6	**sześciu**	**sześć**
7	**siedmiu**	**siedem**
8	**ośmiu**	**osiem**
9	**dziewięciu**	**dziewięć**
10	**dziesięciu**	**dziesięć**
11	**jedenastu**	**jedenaście**

12	dwunastu	dwanaście
13	trzynastu	trzynaście
14	czternastu	czternaście
15	piętnastu	piętnaście
16	szesnastu	szesnaście
17	siedemnastu	siedemnaście
18	osiemnastu	osiemnaście
19	dziewiętnastu	dziewiętnaście
20	dwudziestu	dwadzieścia
21	dwudziestu jeden	dwadzieścia jeden
22	dwudziestu dwóch	dwadzieścia dwa
		(*other m.+n.*)
		dwadzieścia dwie (*f.*)
23	dwudziestu trzech	dwadzieścia trzy
24	dwudziestu czterech	dwadzieścia cztery
25	dwudziestu pięciu	dwadzieścia pięć
26	dwudziestu sześciu	dwadzieścia sześć
27	dwudziestu siedmiu	dwadzieścia siedem
28	dwudziestu ośmiu	dwadzieścia osiem
29	dwudziestu dziewięciu	dwadzieścia dziewięć
30	trzydziestu	trzydzieści
31	trzydziestu jeden	trzydzieści jeden
32	trzydziestu dwóch	trzydzieści dwa
		(*other m.+n.*)
		trzydzieści dwie (*f.*)
33	trzydziestu trzech	trzydzieści trzy
40	czterdziestu	czterdzieści
50	pięćdziesięciu	pięćdziesiąt
60	sześćdziesięciu	sześćdziesiąt
70	siedemdziesięciu	siedemdziesiąt
80	osiemdziesięciu	osiemdziesiąt
90	dziewięćdziesięciu	dziewięćdziesiąt
100	stu	sto
200	dwustu	dwieście
300	trzystu	trzysta
400	czterystu	czterysta
500	pięciuset	pięćset
600	sześciuset	sześćset
700	siedmiuset	siedemset
800	ośmiuset	osiemset
900	dziewięciuset	dziewięćset

1,000	tysiąc	tysiąc
	tysiące (2–4)	tysiąc (2–4)
	tysięcy (5+)	tysięcy (5+)
1,000,000	milion	milion
	miliony (2–4)	miliony (2–4)
	milionów 5+)	milionów (5+)

pięćdziesiąt osiem	58
dziewięćdziesiąt siedem	97
sto sześćdziesiąt dziewięć	169
sześćset czterdzieści trzy	643

Exercise 12

Write the numbers in Polish:

1   3 + 6 = 9
2   9 + 11 = 20
3   15 + 19 = 34
4   31 + 46 = 77
5   58 + 69 = 127
6   78 + 99 = 177
7   101 + 367 = 468
8   1,500 + 6,798 = 8,298
9   20,351 + 37,489 = 57,840
10   1,769,203 + 755 = 1,769,958
11   4 children
12   2 women
13   4 men
14   3 shops
15   2 bus stops

3.5 Personal pronouns – genitive case

Singular		*Plural*	
Nom.	*Gen.*	*Nom.*	*Gen.*
ja	mnie	my	nas
ty	ciebie	wy	was
on	jego, go, niego	oni	ich, nich
ona	jej, niej	one	ich, nich
ono	jego, go, niego		

Reflexive pronoun: **siebie**

Niego, niej are used after prepositions. The 3rd person personal pronouns **jej, jego** and **ich** have the same form as possessive adjectives.

3.6 Uses of the genitive case

The genitive case is widely used in Polish and here are the main rules.

• As in English, the genitive case denotes possession.

> **To jest kapelusz (mojego) brata.**
> This is my brother's hat.
>
> **Monika nosi płaszcz matki.**
> Monika wears her mother's coat.

• After a negative, the genitive takes the place of the accusative case. (In the following example, 'today' is used as an adjective.)

> **Znam dzisiejszą datę.**
> I know today's date.

BUT:

> **Nie znam dzisiejszej daty.**
> I don't know today's date.

Here's another example:

> **Andrzej je dojrzałe jabłka.**
> Andrzej is eating ripe apples.

BUT:

> **Andrzej nie je dojrzałych jabłek.**
> Andrzej is not eating ripe apples.

NOTE: Where the case of a noun is determined by a preposition, that case remains unchanged regardless of whether the sentence is in the affirmative or the negative.

Maria lubi konie.	Maria like horses.
Maria nie lubi koni.	Maria doesn't like horses.

BUT:

Maria lubi jeździć na koniu.
Maria likes to ride horses.
Maria nie lubi jeździć na koniu.
Maria doesn't like to ride horses.

- Many prepositions are followed by the genitive case. These include:

od	from
do	to
blisko (do/od)	near (to/from)
	(*location* not movement)
daleko/niedaleko (do/od)	far/not far (to/from)
	(*location* not movement)
z	from (place)
naprzeciwko	opposite
obok	next to
w pobliżu	in the vicinity of
koło	beside/near
u	at (a place)
bez	without
dla	for
według	according to
podczas	during

Od ciebie do nich jest dosyć daleko.
It's quite far from you to them.

Jan mieszka blisko biura ale daleko od biblioteki.
Jan lives near the office but far from the library.

Andrzej siedzi naprzeciwko Jerzego i obok Barbary.
Andrzej is sitting opposite Jerzy and next to Barbara.

Jerzy wychodzi z restauracji koło galerii.
Jerzy is coming out of (from) the restaurant near the gallery.

**Spotykamy się u koleżanki i idziemy kupić
  prezent dla profesora.**

We're meeting at a friend's and going to buy a present for
  the professor.

- Some verbs are followed by the genitive. The prepositions following these verbs in English would suggest a different case, so be careful in learning them.

szukać (III) (to look for):
Szukam kapelusza.   I'm looking for my hat.

życzyć (II) (to wish):
Życzę szczęścia.   I wish you luck.

uczyć (II) **się** (to learn):
Wiktor uczy się angielskiego.   Wiktor is learning English.

słuchać (III) (to listen to):
Jan zawsze słucha ojca.   Jan always listens to his father.

bać (II) **się** (to be afraid of):
Mała Monika boi się kotów.   Little Monika is afraid of cats.

- Dates are usually expressed in the genitive.

trzeciego marca   3rd March
siódmego grudnia   7th December
Urodziny Jana są piątego sierpnia.
Jan's birthday is on the 5th of August.

- Expressions of quantity require the genitive:

Proszę dużą filiżankę kawy.
A large cup of coffee, please.

Ojciec kupuje butelkę wina dla syna.
The father is buying a bottle of wine for his son.

Maria pije bardzo dużo mleka, ale je mało jabłek.
Maria drinks a lot of milk but doesn't eat many apples.

- The genitive case follows cardinal numbers (except **jeden, jedna, jedno**). (**Dwa, trzy** and **cztery** can also appear in the nominative/accusative with a nominative or accusative noun.)

trzech panów   three men
pięć kobiet   five women
dwadzieścia drzew   20 trees

VOCABULARY

albo	or
autobus	bus
biblioteka	library
butelka	bottle
chrzan	horseradish
cześć!	hi!
dobry	good, right
dużo	much, a lot (of)
gdzieś	somewhere
grudzień	December
ile	how much, how many
iść piechotą	to walk, go on foot
jarzyna	vegetable
jedzenie	eating, food
jutro	tomorrow
kawiarnia	café
kiełbasa	sausage
kino	cinema
koniak	cognac
kwiat	flower
mieć (III) rację	to be right
mówić (II)	to say
może	perhaps
nawet	even
no	well (*interjection*)
owoc (*pl.* **owoce**)	fruit
ósmego grudnia	eighth of December
pasować (I)	to suit
pieczywo	bakery goods
potem	then, afterwards
prawie	almost
prezent	present, gift
pyszny	delicious
restauracja	restaurant
rzeczywiście	indeed
sklep spożywczy	food shop
stać (II stoję, stoisz)	to stand
stąd	from here
szampan	champagne
szarlotka	apple cake
szkoda	(it's a) shame, pity
śpieszyć się (II)	to hurry
tak	so, in that way
ten (ta, to)	this

też	also
tylko	only
urodziny (*pl.*)	birthday
widzieć (II) **się**	to see each other, meet
woda	water
woda mineralna	mineral water
wódka	vodka
wracać (III)	to return
z	with; from
za	too (+ *adj.*)
zdrowy	healthy
zimno (*adv.*)	cold
znaczyć (II)	to mean
to znaczy	that is
znać (III)	to know (person, place)

Exercise 13

Reply with a full negative sentence:

1 Czy ma pan/pani bagaż?
2 Czy to jest pana/pani paszport?
3 Czy lubi pan/pani koniak?
4 Czy pije pan/pani dużo herbaty?
5 Czy znacie datę moich urodzin?
6 Czy oni mają dobry adres?
7 Czy one kupują wodę mineralną?
8 Czy idziemy dziś do kina?

CONVERSATION

Zakupy

Jerzy	Cześć! Masz czas na kawę? Tu niedaleko jest dobra kawiarnia. Robią bardzo dobrą kawę i pyszną szarlotkę.
Thomas	Nie, nie nam czasu.
Jerzy	Szkoda. A gdzie się tak śpieszysz?
Thomas	Idę do sklepu na zakupy, a potem wracam do domu.
Jerzy	A co kupujesz?
Thomas	Dużo rzeczy. Nie mam niczego do jedzenia. Czy jest tu gdzieś sklep spożywczy?
Jerzy	Jest mały sklep w pobliżu restauracji Balaton. Kupisz tam prawie wszystko. To znaczy, pieczywo, ser, mleko, kiełbasę, jarzyny, owoce, chrzan i nawet wódkę. Lubisz wódkę?
Thomas	Nie, nie bardzo, ale lubię wino. I wodę mineralną. Piję dużo wody.
Jerzy	Mowią, że woda jest zdrowa, ale pić wodę z kiełbasą?
Thomas	No, nie. Masz rację. Do kiełbasy pasuje wódka. Albo czerwone wino. Gdzie mówisz, że jest ten sklep?
Jerzy	Naprzeciwko kina Oko, blisko biblioteki, niedaleko przystanku autobusu numer 75.
Thomas	Ile przystanków stąd?
Jerzy	Tylko trzy.
Thomas	To idę piechotą. Jest za zimno stać i czekać na autobus. Do widzenia.
Jerzy	Do widzenia. Widzimy się jutro u Marty!
Thomas	Jutro?
Jerzy	Nie pamiętasz? Jutro są urodziny Marty. Ósmego grudnia!
Thomas	Rzeczywiście. A ja nie mam dla niej prezentu. Nie wiem, co kupić!
Jerzy	Kup jej butelkę szampana.
Thomas	A może ona nie lubi szampana?
Jerzy	Lubi, lubi. I kwiaty też bardzo lubi!

TRANSLATION

Shopping

Jerzy   Hi! Do you have time for a coffee? There's a good café not far from here. They serve (make) very good coffee and delicious apple cake.

Thomas   No, I don't have time.

Jerzy   A pity. Where are you going in such a hurry?

Thomas   I'm going to the shop for some shopping and then going back home.

Jerzy   And what are you going to buy (buying)?

Thomas   A lot of things. I don't have anything to eat. Is there a food shop nearby?

Jerzy   There's a small shop near the restaurant Balaton. It's small but you'll get (buy) nearly everything there. That is, bread, cheese, milk, sausages, vegetables, fruit, horseradish and even vodka. Do you like vodka?

Thomas   No, not much, but I do like wine. And mineral water. I drink a lot of water.

Jerzy   They say that water's good for you, but water with sausages?

Thomas   Well, no. You're right. Vodka goes well with (suits) sausages. Or red wine. Where did you say that shop was? (Where do you say that shop is?)

Jerzy   Opposite the cinema Oko, near the library, not far from the 75 bus stop.

Thomas   How many stops from here?

Jerzy   Only three.

Thomas   Then I'll walk. It's too cold to stand and wait for a bus. Goodbye.

Jerzy   Goodbye. We'll see each other tomorrow at Marta's!

Thomas   Tomorrow?

Jerzy   Don't you remember? It's Marta's birthday tomorrow. 8th December!

Thomas   Indeed. And I haven't got a present for her. I don't know what to buy!

Jerzy   Buy her a bottle of champagne.

Thomas   But maybe she doesn't like champagne?

Jerzy   She does, she does. And she likes flowers a lot, too!

Lesson 4

4.1 Demonstrative and interrogative adjectives

A demonstrative adjective points out which particular noun is being referred to, as in 'this man', 'that girl' and so on, while an interrogative adjective is used in questions – 'which man?', 'what table?'.

	Masc.	*Fem.*	*Neu.*	
Nom.	ten	ta	to	
Acc.	tego	tę	to	this (one here)
Gen.	tego	tej	tego	
Nom.	tamten	tamta	tamto	
Acc.	tamtego	tamtą	tamto	that (one there)
Gen.	tamtego	tamtej	tamtego	
Nom.	który	która	które	
Acc.	którego	którą	które	which (which one?)
Gen.	którego	której	którego	
Nom.	jaki	jaka	jakie	
Acc.	jakiego	jaką	jakie	what (what sort of?)
Gen.	jakiego	jakiej	jakiego	

As you can see, these take the usual adjectival endings.

Jaki to jest hotel?
What sort of a hotel is this?

Niedobry, ale tamten jest bardzo dobry.
Not good, but that one there is very good.

Którą książkę chce pani kupić?
Which book do you want to buy?

Kupię tę angielską.
I'll buy this English one.

Który is also a relative pronoun as is 'which' in English. However, unlike in English, **który** is never omitted.

Kawa którą piję jest gorąca.
The coffee (which) I'm drinking is hot.

VOCABULARY

gram	gramme
kosztować (I)	to cost
litr	litre
owszem	why yes, certainly
pieniądze (*pl.*)	money
razowy	wholemeal
sałata	lettuce
sprzedawać (I)	to sell
świeży	fresh
złoty*	zloty (Polish currency)

* Literally an adjective, meaning 'golden': inflects like an adjective.

Exercise 14

Translate into Polish, writing out the numbers in full:

1 – How much does a kilo of cheese cost?
   – 100,000 zlotys.
2 Three rolls, one wholemeal (loaf of) bread, 50 grammes of butter and a litre of milk, please. Oh, and a bottle of wine.
3 What sort of wine do you (*masc. pol.*) like?
4 – Is champagne expensive?
   – Why yes, it's expensive but it's good.
5 – Do you (*pol. to a man*) have any money?
   – I have, but not much (money).
6 Where can I buy some flowers here? (*lit.* Where do they sell flowers here?)
7 A kilo of red apples, a kilo of tomatoes, some lettuce and horseradish, please.
8 – Where is the food shop? Is it far from here?
   – No, it's very near the number 125 bus stop, next to the library, opposite the cinema and not far from the post office.
9 And do they sell bread, vegetables, fruit, mineral water and cheese there?
10 – Which bread is fresh?
   – It's (*lit.* They're) all fresh.

4.2 Modal verbs

Modal auxiliaries are the very important verbs – 'can', 'will', etc. in English – which combine with other verbs to express a range of meaning such as possibility, permission and wanting. They are very easy to use, simply combining with the infinitive form of the other verb, but in Polish as in many other languages they have irregular forms which need to be learnt separately. Here is the present tense of some of them:

móc (to be able to, 'can')

ja mogę	my możemy
ty możesz	wy możecie
on ⎫	oni ⎫
ona ⎬ może	one ⎭ mogą
ono ⎭	

musieć (to have to, 'must')

ja muszę	my musimy
ty musisz	wy musicie
on ⎫	oni ⎫
ona ⎬ musi	one ⎭ muszą
ono ⎭	

mieć (to be supposed to)

ja mam	my mamy
ty masz	wy macie
on ⎫	oni ⎫
ona ⎬ ma	one ⎭ mają
ono ⎭	

Remember that **mieć** also means 'to have' and takes a direct object, i.e. a noun in the accusative case.

chcieć (to want to, wish)

ja chcę	my chcemy
ty chcesz	wy chcecie
on ⎫	oni ⎫
ona ⎬ chce	one ⎭ chcą
ono ⎭	

NOTE: The impersonal forms **można** or **wolno** + the infinitive form of the following verb also express permission. For example:

Czy wolno palić? ⎱
Czy można palić? ⎰ Can one (Is one allowed to) smoke?

The impersonal **trzeba** + the infinitive means 'one ought to, must, should'. For example:

Trzeba uważać.   One must be careful.

4.3 'To know'

In Polish, there are a number of verbs – **wiedzieć**, **umieć**, **znać** – which denote knowledge or acquaintance and it is both useful and important to distinguish between these shades of meaning:

wiedzieć (IV)   to know a fact
znać (III)   to know a person, place or thing
umieć (IV)   to know how to do something

Wiem, że mówisz po polsku.   I know you speak Polish.
Znam dobrze Polskę.   I know Poland well.
Umiem mówić po polsku.   I can speak Polish.

4.4 Adverbs

Adverbs – words such as 'slowly', 'well', 'unexpectedly' – describe adjectives or, more usually, verbs. Many are formed from adjectives. They are very straightforward to form. Simply replace the masculine singular ending of an adjective – i.e. **-y** or **-i** – with **-o** or, more rarely, with **-e**.

wolny – wolno	slow – slowly
duży – dużo	large – a lot
tani – tanio	cheap – cheaply
smaczny – smacznie	tasty – tastily
łatwy – łatwo	easy – easily
zły – źle	bad – badly
dobry – dobrze	good – well

NOTE: When the adverb ends with **-e**, the preceding consonant, if hard, is first softened, **ł** becomes **l** and **r** becomes **rz**.

Adverbs, in Polish, tend to come in front of the verb:

On nudno mówi.   He speaks in a boring way.

They are used in expressions about the senses where English uses an adjective:

On wygląda zdrowo.   He looks healthy.

VOCABULARY

interesujący	interesting
jeść (IV)	to eat
jeździć (II)	to drive, travel
obiad	dinner
pachnieć (I)	to smell
piękny	beautiful
róża	rose
samochód	car
szybki (*adj.*)	fast
teatr	theatre
wyglądać (III)	to look (appear)

Exercise 15

Translate into Polish paying particular attention to the adjectives and adverbs:

1 He cooks tasty dinners because he likes to eat well (*lit.* eat tastily).
2 He has a fast car because he likes driving fast.
3 Theatre tickets (*lit.* Tickets to the theatre) aren't cheap but he buys cinema tickets cheaply.
4 He knows very well that this is a good book.
5 The rose is beautiful and smells beautiful (*adv.*).
6 Jerzy is very interesting and talks in an interesting way (*lit.* interestingly).
7 Marta isn't very young but she looks young (*adv.*).
8 This is a very long book. Have you been (*lit.* Are you) reading it long?

4.5 Ordinal numbers

Ordinal numbers mark the position of a noun in a certain order. They are the numbers 'first', 'second', 'third' and so on. Remember that they are adjectives, and agree with the noun to which they refer.

Nominative singular:

	masc.	fem.	neut.
1st	pierwszy	pierwsza	pierwsze
2nd	drugi	druga	drugie
3rd	trzeci	trzecia	trzecie
4th	czwarty	czwarta	czwarte
5th	piąty	piąta	piąte
6th	szósty	szósta	szóste
7th	siódmy	siódma	siódme
8th	ósmy	ósma	ósme
9th	dziewiąty	dziewiąta	dziewiąte
10th	dziesiąty	dziesiąta	dziesiąte

Nominative plural:

	masc. (pers.)	other nouns
1st	pierwsi	pierwsze
2nd	drudzy	drugie
3rd	trzeci	trzecie
4th	czwarci	czwarte
5th	piąci	piąte
6th	szóści	szóste
7th	siódmi	siódme
8th	ósmi	ósme
9th	dziewiąci	dziewiąte
10th	dziesiąci	dziesiąte

For the sake of brevity, the following ordinal numbers are given only in the masculine singular, but remember that they do decline.

11th	jedenasty	70th	siedemdziesiąty
12th	dwunasty	80th	osiemdziesiąty
13th	trzynasty	90th	dziewięćdziesiąty
14th	czternasty	100th	setny
15th	piętnasty	200th	dwusetny
16th	szesnasty	300th	trzechsetny
17th	siedemnasty	400th	czterechsetny
18th	osiemnasty	500th	pięćsetny
19th	dziewiętnasty	600th	sześćsetny
20th	dwudziesty	700th	siedemsetny
21st	dwudziesty pierwszy	800th	osiemsetny
30th	trzydziesty	900th	dziewięćsetny
40th	czterdziesty	1,000th	tysięczny
50th	pięćdziesiąty	2,000th	dwutysięczny
60th	sześćdziesiąty	5,000th	pięciotysięczny

Up to 100 where the numbers are composed, both elements of the count are ordinal. For example:

trzydziesty piąty	35th (*masc.*)
pięćdziesiąta czwarta	54th (*fem.*)

But in composite numbers of 100 and over, only the tens and units are ordinal:

sto dwudziesty	120th (*masc.*)
pięćset trzydziesty czwarty	534th (*masc.*)

NOTE: The year of a date is declined in the nominative or the genitive:

1994 **tysiąc dziewięćset dziewięćdziesiąty czwarty (rok)**
or: **tysiąc dziewięćset dziewięćdziesiątego czwartego (roku)**
(*lit.* one thousand nine hundred ninety fourth [year])

(Sometimes the word **rok** 'year' is omitted.)

4.6 Days of the week and months of the year

poniedziałek	Monday
wtorek	Tuesday
środa	Wednesday
czwartek	Thursday
piątek	Friday
sobota	Saturday
niedziela	Sunday
styczeń	January
luty	February
marzec	March
kwiecień	April
maj	May
czerwiec	June
lipiec	July
sierpień	August
wrzesień	September
październik	October
listopad	November
grudzień	December

In Polish, the names of days and months are written with a small letter. Remember that dates are generally expressed in the genitive case using the ordinal form of numbers (see 4.5).

pierwszego stycznia   first of January
trzeciego grudnia   third of December

Exercise 16

Say, and write, in Polish, using the genitive form:

1 Monday, 21st May 1990.
2 Saturday, 30th November 1948.
3 Tuesday, 15th April 1913.
4 Thursday, 7th January 1944.
5 Sunday, 24th December 1950.
6 Friday, 18th February 1817.
7 Wednesday, 3rd October 1587.
8 Monday, 5th July 1765.
9 Thursday, 29th September 1994.
10 Friday, 22nd August 1316.

4.7 Past tense

In Polish, verbs of all conjugations take the same endings in the past tense. However, they behave like nouns and adjectives in that they distinguish between genders. In the singular, a simple distinction is made between the three genders, but in the plural the distinction is drawn between masculine persons and all other nouns. As you will have gathered by now, this theme of gender distinction runs right through the Polish language. So here is a reminder of the frequent rule – because there are exceptions, of course!:

singular = masc. + fem. + neut.
plural   = men only + all others.

To form the past tense, just drop the final -ć of the infinitive and add the following endings:

Sing.	*masc.*	*fem.*	*neut.*
	-łem	-łam	–
	-łeś	-łaś	–
	-ł	-ła	-ło
Pl.	*masc. (pers.)*		*all others*
	-liśmy		-łyśmy
	-liście		-łyście
	-li		-ły

gotować (I) (to cook)

Sing.	masc.	fem.	neut.
	gotowałem	gotowałam	–
	gotowałeś	gotowałaś	–
	gotował	gotowała	gotowało

Pl.	masc. (pers.)		all others
	gotowaliśmy		gotowałyśmy
	gotowaliście		gotowałyście
	gotowali		gotowały

być (irreg.) (to be)

Sing.	masc.	fem.	neut.
	byłem	byłam	–
	byłeś	byłaś	–
	był	była	było

Pl.	masc. (pers.)		other nouns
	byliśmy		byłyśmy
	byliście		byłyście
	byli		były

liczyć (II) (to count)

Sing.	masc.	fem.	neut.
	liczyłem	liczyłam	–
	liczyłeś	liczyłaś	–
	liczył	liczyła	liczyło

Pl.	masc. (pers.)		others
	liczyliśmy		liczyłyśmy
	liczyliście		liczyłyście
	liczyli		liczyły

Inevitably, there are some exceptions and modifications to the rule. Some basic ones to learn are:

- Many verbs ending in **-eć** take **-a** instead of **-e** before the **-ł** of the past tense endings. For example: **mieć, chcieć, słyszeć** (to hear), **umieć, widzieć** (to see):

umieć (IV) (to be able to)

Sing.	masc.	fem.	neut.
	umiałem	umiałam	–
	umiałeś	umiałaś	–
	umiał	umiała	umiało

Pl.	masc. (pers.)	others
	umieliśmy	umiałyśmy
	umieliście	umiałyście
	umieli	umiały

mieć (III) (to have, to be supposed to)

Sing.	masc.	fem.	neut.
	miałem	miałam	–
	miałeś	miałaś	–
	miał	miała	miało

Pl.	masc. (pers.)	others
	mieliśmy	miałyśmy
	mieliście	miałyście
	mieli	miały

widzieć (II) (to see)

Sing.	masc.	fem.	neut.
	widziałem	widziałam	–
	widziałeś	widziałaś	–
	widział	widziała	widziało

Pl.	masc. (pers.)	others
	widzieliśmy	widziałyśmy
	widzieliście	widziałyście
	widzieli	widziały

- Verbs ending in **-ąć** keep the **-ą** of the infinitive ending only in the masculine singular, otherwise the **-ą** becomes **-ę**.

ciągnąć (I) (to pull)

Sing.	masc.	fem.	neut.
	ciągnąłem	ciągnęłam	–
	ciągnąłeś	ciągnęłaś	–
	ciągnął	ciągnęła	ciągnęło

Pl.	masc. (pers.)		other nouns
	ciągnęliśmy		ciągnęłyśmy
	ciągnęliście		ciągnęłyście
	ciągnęli		ciągnęły

- There are a number of irregular cases where the stem of the past tense differs from that of the infinitive. Here are some common ones:

(a) where the infinitive ends in **-c**:

	inf.	3rd pers. sing. masc.	3rd pers. pl. masc. (people)
to bake	**piec** (I)	**piekł**	**piekli**
to run	**biec** (I)	**biegł**	**biegli**

(b) where, in the infinitive, the **-ć** is preceded by a soft consonant:

	inf.	3rd pers. sing. masc.	3 pers. pl. masc. (p.)	3 pers. pl. (other nouns)
to carry	**nieść** (I)	**niósł**	**nieśli**	**niosły**
to eat	**jeść** (IV)	**jadł**	**jedli**	**jadły**
to sit	**siąść** (III)	**siadł**	**siedli**	**siadły**
to steal	**kraść** (I)	**kradł**	**kradli**	**kradły**
to put down, lay	**kłaść** (I)	**kładł**	**kładli**	**kładły**
to crush, squeeze	**gnieść** (I)	**gniótł**	**gnietli**	**gniotły**
to shake	**trząść** (I)	**trząsł**	**trzęśli**	**trząsły**
to lead	**wieść** (I)	**wiódł**	**wiedli**	**wiodły**
to drive, transport	**wieźć** (I)	**wiózł**	**wieźli**	**wiozły**

Compounds of these verbs behave similarly to the verbs from which they derive. For example **przynieść** (to bring) behaves like **nieść**.

- The verbs **móc** and **pomóc** (to help) retain the **-ó** only in the 3rd person singular masculine, otherwise the **-ó** changes to **-o**:

móc (to be able to)

Sing.	masc.	fem.	neut.
	mogłem	mogłam	–
	mogłeś	mogłaś	–
	mógł	mogła	mogło

Pl.	masc. (pers.)		others
	mogliśmy		mogłyśmy
	mogliście		mogłyście
	mogli		mogły

- The verb **iść** (to go). Its compound **przyjść** (to come) follows the same pattern:

iść

Sing.	masc.	fem.	neut.
	szedłem	szłam	–
	szedłeś	szłaś	–
	szedł	szła	szło

Pl.	masc. (pers.)		other nouns
	szliśmy		szłyśmy
	szliście		szłyście
	szli		szły

The past tense is not as difficult as it may at first appear. If you bear in mind the gender differentiation mentioned at the beginning of the section, you're half-way there.

You may hear the past tense endings detached from the verb and attached to the preceding word.

Coście robili?/Co robiliście?	What did you do?
Gdzieś był?/Gdzie byłeś?	Where were you?

VOCABULARY

chodzić (II)	to walk, go, frequent
chory	ill
dzisiaj	today
mówić (II) **po polsku**	to speak Polish
ostatni	last
wczoraj	yesterday

Exercise 17

Substitute the present with the past tense:

1(a) Co robisz? (*to a man*)
 (b) Co robisz? (*to a woman*)
2 Pan Antoni jest chory.
3 On lubi chodzić do kina.
4 Państwo Caren umieją mówić po polsku.
5 Widzę, jak dziecko śpi.
6(a) Nie macie niczego do jedzenia, to możecie iść do restauracji. (*to women*)
 (b) Nie macie niczego do jedzenia, to możecie iść do restauracji. (*to men*)
7 On zawsze jest pierwszy.
8 Marta idzie ostatnia.
9 Dzisiaj jest trzeciego grudnia. (Wczoraj.....)

4.8 Uses of the past (imperfective) tense

The past tense forms you have just learnt (the imperfective) are used to describe past actions in the following cases:

- to describe actions in progress (as opposed to completed actions). The emphasis is on the action itself rather than its result. The imperfective can always be used when you could have 'was/were ....ing' in English.

  Czytałem/-łam gazetę podczas śniadania.
  I read the newspaper during breakfast.

  Czy słuchałeś/-łaś wiadomości dzisiaj rano?
  Did you listen to the news this morning?

Wczoraj padał deszcz, a dziś świeci słońce.
Yesterday it rained but today the sun is shining.

Ależ w grudniu było zimno!
How cold it was in December!

- to describe repeated or habitual actions:

  Jan chodził do szkoły w Krakowie.
  Jan used to go to school in Cracow.

  Spotykaliśmy się w kawiarni na Nowym Świecie.
  We used to meet in a café on Nowy Swiat street.

  Małgosia zawsze lubiła kawę, a teraz pije tylko herbatę.
  Małgosia always used to like coffee but now she drinks only tea.

- when duration is indicated:

  Mieszkaliśmy w Warszawie trzy lata.
  We lived in Warsaw for three years.

  Jak długo uczył się pan języka polskiego?
  How long have you been learning Polish?

  Uczyłem się trzy miesiące.
  I've been learning (it) for three months.

VOCABULARY

biedny	poor
ciągle	constantly
coś	something
dawno	long ago
egzamin	exam
gość	guest
gubić (II)	to lose
gubić się	to get lost
jeżeli	if
już	already
kiedy	when
kiedyś	once, at one time
martwić się (II)	to worry
mieć na imię	to be called (first name)
niestety	unfortunately
nigdy	never
pamiętać (III)	remember
pilnować (I) (+ gen.)	to keep an eye on

Polska	Poland
w Polsce	in Poland
potrafić (II)	to be able, capable
pracować (I)	to work
przecież	after all
przylatywać (I)	to fly in, arrive
raz	time (i.e. occasion)
po raz pierwszy	for the first time
razem	together
studiować (I)	to study
uważać (III)	to be careful
wykład	lecture
zapominać (III)	to forget

Exercise 18

Read the following, then answer the questions in Polish using complete sentences:

Piątek, trzeciego grudnia. Pan Caren jest w Polsce po raz pierwszy. Dziś przylatuje do Warszawy i mieszka u kolegi. Kolega ma na imię Jerzy, a nazywa się Siarski. Pan Caren, który ma na imię Thomas, jest gościem Jerzego. Jerzy i Thomas znają się bardzo długo. Razem studiowali, ale dawno się nie widzieli.

Thomas zawsze się spóźnia i zawsze się gubi. Kiedy był studentem, to zapominał książki, nie pamiętał wykładów i prawie zawsze zapominał, kiedy są egzaminy. Biedny Jerzy martwi się i musi bardzo uważać. Niestety Thomas nigdy nie pamięta nowego adresu i ciągle gubi paszport i bilety. Przecież Jerzy musi pracować, nie może ciągle pilnować swojego kolegi. Ale Jerzy lubi Thomasa i zawsze go lubił.

NOTE:

● The double use of negatives in Polish:

   Thomas nigdy nie pamięta

● The use of the present tense following verbs of saying, thinking, seeing, etc. in the past tense. Think of what was actually thought, said, forgotten and so on: 'When are the exams?'

   zawsze zapominał, kiedy są egzaminy

1 Którego jest dzisiaj?
2 Kiedy Pan Caren przylatuje do Warszawy?

3 Czy Pan Caren i Jerzy Siarski znają się?
4 Czy Thomas już kiedyś był w Polsce?
5 Czy Thomas mieszka u swojej siostry?
6 Czy Thomas zapominał coś, jak był studentem? A co zapominał?
7 Dlaczego jego kolega martwi się?
8 Dlaczego Jerzy nie może pilnować Thomasa?

Lesson 5

5.1 Interrogative and indefinite pronouns – 'who?' 'what?' 'nobody' 'nothing'

Interrogative pronouns take the place of a specific noun in a question. Indefinite pronouns, as their name suggests, refer to unspecific nouns.

Here, thankfully, there are no genders to remember:

	who	what	nobody	nothing
Nom.	kto	co	nikt	nic
Acc.	kogo	co	nikogo	nic
Gen.	kogo	czego	nikogo	niczego

In the case of **ktoś** (somebody), **coś** (something), **ktokolwiek** (anybody), **cokolwiek** (anything), only the stems **kto-**, **co-** are declined, the suffixes **-ś**, **-kolwiek** remaining unchanged:

Nom.	ktoś	coś	ktokolwiek	cokolwiek
Acc.	kogoś	coś	kogokolwiek	cokolwiek
Gen.	kogoś	czegoś	kogokolwiek	czegokolwiek

5.2 Verb aspects

In Polish there are only three tenses: present, past and future. (We shall meet the future tense in Lesson 6.) But, as in English, a distinction is made between actions in progress and those that have been completed. (Think of the difference between 'I was reading the paper' and 'I have read the paper'.) In Polish, this distinction is shown by differences at the beginning of the verb, rather than at the end. Actions in progress (and, often, repeated actions) are described in Polish in the imperfective aspect (which you have already met). Completed actions are described in the perfective aspect. Some verbs also have a frequentative aspect which is used for repeated actions. Some verbs, as their sense suggests, have only one aspect (for example, **zdawać się**, to seem). We shall deal with these aspects in more detail in the next three sections. Don't worry – you have already learnt all the verb endings you need.

NOTE: From here on and in the mini-dictionary at the end of the book both forms of the verb are listed together, imperfective first, followed by perfective.

5.3 The perfective forms

The perfective aspect takes one of three forms:

(a) A prefix is added to the imperfective verb.

Imperfective	*Perfective*	
czytać (III)	przeczytać (III)	to read
pytać się (III)	zapytać się (III)	to ask
pamiętać (III)	zapamiętać (III)	to remember
uczyć się (II)	nauczyć się (II)	to learn
słyszeć (II)	usłyszeć (II)	to hear
chorować (I)	zachorować (I)	to be/fall ill
gotować (I)	ugotować (I)	to cook
myć się (I)	umyć się (I)	to wash (oneself)
prać (I)	uprać (I)	to wash (clothes)
kończyć (II)	skończyć (II)	to finish
patrzeć (II)	popatrzeć (II)	to look
rozmawiać (III)	porozmawiać (III)	to talk, converse
prosić (II)	poprosić (II)	to ask (for)
pić (I)	wypić (I)	to drink
robić (II)	zrobić (II)	to do
rozumieć (IV)	zrozumieć (IV)	to understand
iść (I)	pójść (I)	to go

(b) The suffix or stem of the imperfective verb is changed. This may result in a change of conjugation.

Imperfective	*Perfective*	
dawać (I)	dać (III)	to give
pomagać (III)	pomóc (I)	to help
spotykać (III)	spotkać (III)	to meet
wracać (III)	wrócić (II)	to return
przepraszać (III)	przeprosić (II)	to apologize
wstawać (I)	wstać (I)	to get up
wyrzucać (III)	wyrzucić (II)	to throw away
odpowiadać (III)	odpowiedzieć (IV)	to answer
zapominać (III)	zapomnieć (II)	to forget
zabierać (III)	zabrać (I)	to take away
oddawać (I)	oddać (III)	to return, give back

- In some cases the two aspects consist of different verbs.

Imperfective	Perfective	
widzieć (II)	zobaczyć (II)	to see
oglądać (III)	obejrzeć (II)	to look at, watch
odchodzić (II)	odejść (I)	to go away, leave
brać (I)	wziąć (I)	to take
kłaść (I)	położyć (II)	to put down, lay
mówić (II)	powiedzieć (IV)	to say

Perfective verbs have no present tense, and the past tense endings are the same as those in the imperfective aspect. For example:

kupować (I) kupić (II) (to buy)

Past imperfective	Past perfective
kupowałem/-am	kupiłem/-am
kupowałeś/-aś	kupiłeś/-aś
kupował(-a)	kupił(-a)
kupowaliśmy/-łyśmy	kupiliśmy/-łyśmy
kupowaliście/-łyście	kupiliście/-łyscie
kupowali/-ły	kupili/-ły

and the irregular verbs:

brać (I) wziąć (I) (to take)

Past imperfective	Past perfective
brałem/-am	wziąłem/wzięłam
brałeś/-aś	wziąłeś/wzięłaś
brał(-a)	wziął/wzięła
braliśmy/-łyśmy	wzięliśmy/-łyśmy
braliście/-łyście	wzięliście/-łyście
brali/-ły	wzięli/-ły

5.4 Uses of the perfective and imperfective aspects

In the present tense, only the imperfective aspect is used.

In the past, the imperfective aspect works rather like the French imperfect tense and the perfective aspect rather like the French perfect tense. Here are some guidelines:

- The imperfective past tense describes what was happening (for a while, or when something more sudden occurred). The emphasis is on the activity or state described by the verb.

Chorowałem w kwietniu.
I was ill in April.

Dawniej Maria piła dużo kawy.
Maria used to drink a lot of coffee long ago.

Czytałam gazetę cały wieczór.
I read the paper all evening.

Mówiłam ci wiele razy.
I told you many times.

If the duration of the activity is mentioned, the imperfective will be used. It is often also used for habitual actions.

● The perfective verb says what happened, with the emphasis on the fact that the action has been completed. There may well have been a change of one state to another.

W kwietniu zachorowałem.
I became ill in April.
(describes a completed change from the healthy to the sick state)

Dzisiaj Maria wypiła tylko jedną kawę.
Maria drank only one coffee today.
(implies that the one action has been completed)

Przeczytałam gazetę i wyrzuciłam ją.
I read the paper and threw it away.
(there was a sequence of completed actions one after another)

Powiedziałam ci już.
I've already told you.
(the action has been completed)

Where a negative sentence carries the idea of having failed to do something (not completed it), the verb will be in the perfective.

Nie ugotowałam wczoraj kolacji.
I didn't cook any supper yesterday.

Now compare:

Czytałem/-łam gazetę, kiedy zadzwonił telefon.
I was reading the paper when the telephone rang.

Już przeczytałem-/łam tę gazetę.
I've already read this paper.

Już przeczytałem/-łam gazetę, kiedy zadzwonił telefon.
I had already read the paper when the telephone rang.

The choice of perfective and imperfective infinitive also depends on whether the emphasis is on the process of doing the action or on the completed action.

5.5 The frequentative

A few verbs have an additional aspect to denote habitual or repeated action, which is called the frequentative.

być (*irr.*) – **bywać** (III)	to be
mieć (III) – **miewać** (III)	to have
czytać (III) – **czytywać** (I)	to read
pisać (I) – **pisywać** (I)	to write
mówić (II) – **mawiać** (III)	to say
widzieć (II) – **widywać** (I)	to see (meet)

Dawniej często bywałam w parku.
I often used to go to (*lit.* be in) the park.

Mój ojciec codziennie czytywał gazetę.
My father used to read the paper every day.

VOCABULARY

aż	until
badać (III), **zbadać** (III)	to examine
biec (I **biegnę, biegniesz**), **pobiec** (I)	to run
boleć (II), **zaboleć** (II)	to hurt
boli go głowa	he has a headache
rozboleć (*perf.*)	to start hurting
chować (III), **schować** (III)	to hide
co	(*here:*) every
czuć (I) **się, poczuć** (I) **się**	to feel
decydować (I) **się, zdecydować** (I)	to decide
deszcz	rain
dziennie	daily, every day
dzwonić (II), **zadzwonić** (II)	to ring, phone
fałszować (I), **sfałszować** (I)	to falsify, (sing) out of tune
fotel	armchair
na fotelu	in the armchair
gdzieś indziej	somewhere else
głowa	head

lepiej	better
list	letter
masować (I), pomasować (I)	to massage
mąż	husband
mu (*dative*)	him
nic mu nie jest	there's nothing wrong with him
myśleć (II), pomyśleć (II) (o)	to think (about)
narzekać (III), ponarzekać (III)	to complain
nudzić (II) się, znudzić (II) się	to get bored
odrazu	straight away
padać (III), spaść (I)	to fall
pada (deszcz)	it's raining
park	park
przed tą telewizją	in front of that television
przyjść (I przyjdę, przyjdziesz),	to come
przychodzić (II)	
róg	corner
na rogu	on the corner
siedzieć (II)	to sit
spotkanie	meeting
szyja	neck
śpiewać (III), zaśpiewać (III)	to sing
tak	to such an extent
więc	so, therefore
wychodzić (II), wyjść	to go out
(I wyjdę, wyjdziesz)	
wysyłać (III), wysłać (I)	to send
zaczynać (III), zacząć (I)	to begin
zasypiać (III), zasnąć (I)	to fall asleep
zdawać (I) się (*no perf.*)	to seem
zobaczyć (II) (*perf.*)	to see

Exercise 19

Translate the verbs into Polish:

1 (I read – *perfective*) **książkę i** (returned – *perfective*) **ją Michałowi.**
2 **Co wieczór** (I used to watch – *imperfective*) **telewizję, ale wczoraj** (I decided – *perfective*) **pójść do kina.**
3 **Dlaczego** (didn't you come – *perfective*) **na spotkanie?**
4 **Ależ on** (cooked – *perfective*) **pyszny obiad w niedzielę!**
5 (I wrote – *perfective*) **list i** (sent – *perfective*) **go.**
6 **Czy ty często** (buy – *imperfective*) **kwiaty dla swojej matki?**
7 (I ran – *perfective*) **do sklepu, ale** (I was late – *perfective*).

8 (I walked – *imperfective*) **przez park i** (thought – *imperfective*) **o tobie.**

9 (He phoned – *perfective*) **do mnie i** (said – *perfective*), **że nie może** (come – *perfective infinitive*).

10 **Jerzy** (saw – *perfective*) **Martę i odrazu** (ran – *perfective*) **do niej.**

Exercise 20

Translate the following sentences. The aspect of each verb is explained in the key:

1 Kiedy jej mąż zachorował, ona od razu pobiegła do lekarza.
2 Lekarz zbadał go i powiedział, że nic mu nie jest.
3 Ale on ciągle narzekał, że boli go głowa, więc co wieczór żona masowała mu szyję.
4 Od razu poczuł się lepiej i zaczął śpiewać.
5 Śpiewał codziennie i tak fałszował, że żonę rozbolała głowa.
6 Wyszedł z domu, zobaczył, że pada deszcz i schował się znowu.
7 Siedział i siedział przed tą telewizją, aż zasnął.
8 Usiadł na fotelu i było mu tak dobrze, że nie chciał wstać.
9 Tak długo czytał książkę, aż mu się znudziła.
10 Zawsze kupowała pieczywo w sklepie na rogu, ale dziś kupiła gdzieś indziej.

5.6 Conjunctions

Conjunctions are used to link words, phrases and clauses together. Here are some of the most common conjunctions in Polish:

- **i**   and
  Jan słucha radia i czyta gazetę.
  John is listening to the radio and reading a newspaper.
- **a**   and, whereas
  Tadeusz pisze list a Maria napewno go wyśle.
  Tadeusz is writing a letter and Maria will certainly send it.
  Dzisiaj zwiedzimy muzeum, a jutro pójdziemy do teatru.
  Today we'll visit the museum, whereas tomorrow we'll go to the theatre.
- **ani**   nor
  Nie idę do kina ani nie zostaję w domu.
  I'm not going to the cinema nor am I staying at home.

84

- **ani ... ani**   neither ... nor
  Ani nie poszedł po zakupy, ani nie ugotował obiadu.
  He neither went shopping nor cooked dinner.

- **ale**   but
  Nie widziałem się z Antkiem, ale spotkałem Jacka.
  I didn't see Antek but I met Jacek.

- **jednak**   however
  Chciałam kupić samochód, jednak był za drogi.
  I wanted to buy a car, however it was too expensive.

- **albo**   or
  W marcu zwiedzimy Wenecję albo pojedziemy w góry.
  We'll visit Venice or go to the mountains in March.

- **albo ... albo**   either ... or
  Możesz albo oglądać telewizję albo słuchać radia.
  You can either watch television or listen to the radio.

- **lub**   or
  **W niedzielę zaproszę cię do dobrej restauracji lub ugotuję
  ci kolację.**
  I'll invite you to a good restaurant or cook you dinner on
  Sunday.

- **więc**   so
  Boli mnie głowa, więc nie idę z tobą do kina.
  I've got a headache so I'm not going to the cinema with you [*fam.*].

- **dlatego**   therefore
  Nie lubię tego aktora, dlatego nie chcę oglądać tego filmu.
  I don't like that actor, that's why I don't want to watch that film.

VOCABULARY

adwokat	lawyer, solicitor
ależ ...!	but why ...!
Anglia	England
artykuł	article
ci (*dat.*)	you
ciocia, ciotka	aunt, auntie
człowiek	man, human being
dawać (I), **dać** (III)	to give
dorosły	adult
drzwi (*pl.*)	door
przy drzwiach	next to the door
dzwonić (II), **zadzwonić** (II)	to ring

dżentelmen	gentleman
gapa	dope, twit
głupi	foolish
kierunek	direction
koncert	concert
mieć nadzieję	to hope
napewno	certainly
nie tylko ... ale i	not only ... but also
odpowiedź	answer
ojej!	oh dear!
pewnie	certainly
pokazywać (I), pokazać (I)	to show
prawdziwy	real
przyznawać (I) się, przyznać (III) się	to admit
przynieść (I), przynosić (I)	to bring
rachunek	bill
radość	joy
spotykać (III) się, spotkać (III) się	to meet
szkodzić (II)	to be harmful
(nic) nie szkodzi	it doesn't matter
świetny	excellent
tu i tam	here and there
uciekać (III), uciec (I)	to escape
wędrować (I)	to wander
witać (III)	to greet
własny	own
wstydzić (II) się	to be shy
wszystkiego najlepszego	all the best, happy birthday
wybierać (III), wybrać (I)	to choose
wybór	choice
wystawa	exhibition
zachowywać (I) się	to behave
zagubiony	lost
zapraszać (III), zaprosić (II)	to invite
zdrowie	health
zgubić się (II) (perf.)	to get lost
zostać (I)	to stay

Exercise 21

Translate:

1 He never used to go to the doctor but he went yesterday because he had a terrible headache (*lit.* his head was hurting very [much]).

2 He bought the book, however he didn't finish it.
3 I wanted to meet you but I had to go to my aunt's.
4 – Why didn't you read the book? (*fam. man*)
   – Because I didn't have time.
5 I waited a long time for the bus, that's why I was late for the theatre.
6 Jerzy had a choice – either to go to the exhibition or to stay and write the article.
7 Mr Caren lost his passport, so he had to return to London.
8 The lawyer took the money and ran away (escaped).
9 Barbara said what she thought and waited a long time for the professor's answer.
10 Andrzej drank his coffee, asked for the bill and went to look at the exhibition.

CONVERSATION

Urodziny

Marta Kto tam?
Jerzy To ja, Jerzy.
Marta Jerzy, witaj! Cieszę się, że jesteś!
Jerzy Wszystkiego najlepszego! Życzę ci dużo zdrowia i dużo radości! Mam nadzieję, że nie jestem ostatnim gościem.
Marta Nie, oczywiście, że nie. Przecież nasz drogi kolega Thomas jest zawsze ostatni.
Jerzy Rzeczywiście. Niestety, nie mogłem się z nim spotkać, bo musiałem długo pracować. Mam nadzieję, że on nie wędruje tu i tam zagubiony.
Marta A on ma adres?
Jerzy Dawałem mu adres, ale znasz go. Co za gapa! On potrafi się zgubić na własnej ulicy.
Marta Ale przecież to dorosły człowiek!
Jerzy Napewno wstydzi się pytać o kierunek.
Marta Może i wstydzi się, ale on nie jest głupi. Jak ja byłam w Anglii, to on pokazywał mi nie tylko Londyn ale i Oxford i nigdy się nie gubiliśmy. Zapraszał mnie do teatru, do kina, na koncerty i nigdy nie gubił biletów. Znał świetne restauracje, wybierał bardzo dobre wina. Zachowywał się jak – no, prawdziwy dżentelmen.

Jerzy	Ojej, Marto! Muszę się przyznać, że zapomniałem przynieść prezenty! Byłem na zakupach wczoraj, ale ... No, widzę tę butelkę u mnie przy drzwiach. I te kwiaty.
Marta	Nic nie szkodzi. Możesz mi jutro ... Oho, ktoś dzwoni do drzwi. Pewnie Thomas ... Thomas! Witam! Welcome! Ależ piękne róże! I szampan!

TRANSLATION

Birthday

Marta	Who is it?
Jerzy	It's me, Jerzy.
Marta	Jerzy, welcome! I'm glad you're here!
Jerzy	Happy birthday (*lit.* All the best)! I wish you lots of health and happiness! I hope I'm not the last (guest).
Marta	No, of course not. Our dear friend Thomas is always last (after all).
Jerzy	Indeed. I couldn't meet him unfortunately because I had to work late (*lit.* long). I hope he isn't wandering around (here and there) lost.
Marta	Does he have the address?
Jerzy	I gave him the address but you know him. He's such a dope! He can get lost on his own street.
Marta	But he's grown up, after all!
Jerzy	He's no doubt (too) shy to ask the way.
Marta	Maybe he is shy but he isn't stupid. When I was in England he showed me not only London but also Oxford and we never got lost. He invited me to the theatre, cinema, concerts, and never lost the tickets. He knew some excellent restaurants, chose very good wines. He behaved like – well, a real gentleman.
Jerzy	Oh dear, Marta! I've got to admit that I've forgotten to bring (your) presents! I went (*lit.* was) shopping yesterday but ... Well, I see that bottle by my door (*lit.* next to the door at my place). And those flowers.
Marta	Never mind. (*lit.* That doesn't matter). You can (give them) to me tomorrow ... Aha, somebody's ringing at the door. No doubt it's Thomas ... Thomas! Welcome! Welcome! But what beautiful roses! And champagne!

Lesson 6

6.1 Dative case

The dative is the case form which denotes the indirect object. It implies 'to (somebody or something)' as in 'Sally gave the book to her brother'. It has a number of specific uses but first consider how it is formed.

- **Singular nouns**
(a) Dative singular <u>masculine nouns</u> add **-owi** to the nominative singular form:

syn – synowi	son
adwokat – adwokatowi	lawyer

A few nouns, most of them monosyllabic, add **-u**.

brat – bratu	brother
ojciec – ojcu	father
pan – panu	gentleman
Bóg – Bogu	God
świat – światu	world

Masculine nouns ending in **-a** in the nominative behave like feminines.

(b) Dative singular <u>feminine nouns</u> replace the final **-a** of the nominative singular with either **-e**, **-y** or **-i**.

-e is used following a hard consonant:

kobieta – kobiecie	woman
matka – matce	mother
noga – nodze	leg

Note that **t** becomes **ci**, **k** becomes **c**, **r** becomes **rz** and **g** becomes **dz**.

As in the genitive, **-y** is used following hardened consonants and **c**:

noc – nocy	night
stolica – stolicy	capital city

świeca – świecy	candle
ulica – ulicy	street
tęcza – tęczy	rainbow

As in the genitive, **-i** is used following a vowel or soft consonant:

ziemia – ziemi	earth

(c) Dative singular <u>neuter nouns</u> exchange the final **-o** or **-e** for **-u**:

oko – oku
jabłko – jabłku
pole – polu

The **-ę** nouns are as follows:

imię – imieniu
cielę – cielęciu
zwierzę – zwierzęciu etc.

- **Singular adjectives**

(a) All dative singular <u>masculine and neuter adjectives</u> end in **-emu**.

Ojciec dał młodemu synowi wiele dobrych rad.
The father gave his young son a lot of good advice.

Matka dała małemu dziecku zabawkę.
The mother gave the small child a toy.

Note that adjectives ending in **-k** or **-g** add **-i** before the final **-emu**:

drogi – drogiemu	
słodki – słodkiemu	sweet

(b) All dative singular <u>feminine adjectives</u> end in **-ej**:

Maria oddała płaszcz swojej matce.
Maria gave her coat back to her mother.

Uczeń zadzwonił do starej nauczycielki i podziękował za lekcję.
The pupil phoned the old teacher and thanked her for the lesson.

● **Plural nouns**

Dative plural nouns are very easy to learn! They all, regardless of gender, end in **-om**.

> syn – synom
> adwokat – adwokatom
> pan – panom
> bóg – bogom
> świat – światom
>
> kobieta – kobietom
> noga – nogom
> ziemia – ziemiom
>
> dziecko – dzieciom
> okno – oknom
> pole – polom

BUT:

> imię – imionom
> cielę – cielętom etc.

● **Plural adjectives**

Again, these are easy to learn. All dative plural adjectives, again regardless of gender, end in **-ym** or **-im**. The **-im** ending follows **k**, **g** or a soft consonant.

> **Grecy składali ofiary starym bogom.**
> The Greeks offered sacrifices to the old gods.
>
> **Maria dała jeść dzikim zwierzętom.**
> Maria fed the wild animals (*lit.* gave the wild animals [something] to eat).

6.2 Uses of the dative

As explained in sections 1.8 and 6.1, the dative case denotes an indirect object. It is used:

● with certain verbs where 'to' is understood:

> **dawać** (I)/**dać** (III) (**komuś**)   to give (to someone)
> **pokazywać** (I)/**pokazać** (I) (**komuś**)   to show (to someone)
> **mówić** (II)/**powiedzieć** (IV) (**komuś**)   to say (to someone)

Ambasador dał celnikowi paszport.
The ambassador gave the passport to the customs officer.

Marta pokazała mężowi swoją nową sukienkę.
Marta showed her husband her new dress.

**On powiedział nauczycielowi, że nie miał czasu na
wypracowanie.**
He told the teacher that he didn't have time for the essay.

- with certain prepositions:

dzięki	thanks to
wbrew	contrary to
ku	towards
przeciwko	against

Dzięki twojemu przyjacielowi pojechaliśmy do Anglii.
Thanks to your friend, we went to England.

Wbrew pozorom on się bardzo ucieszył żeście przyszli.
Contrary to appearances, he was very pleased that you came.

Nie mam nic przeciwko twojemu przyjściu.
I don't have anything against your coming.

- with a number of other verbs and in certain useful expressions
  describing physical and mental states:

dziękować (I)/podziękować (I) (komuś)	to thank (someone)
życzyć (II) (komuś)	to wish (someone)
pomagać (III)/pomóc (I) (komuś)	to help (someone)

Jest mi bardzo miło pana/panią poznać.
I'm very pleased to meet you.

Jest mi gorąco/ciepło/zimno.
I'm hot/warm/cold.

Wstyd mi, że rozlałem/-łam kawę.
I'm ashamed of having spilt the coffee.

Żal mi ciebie, że cię boli głowa.
I'm sorry [*lit*. I feel sorry for you] that you've got
a headache.

**Zdaje mi się, że Maria wraca do Londynu za dwa dni, ale
może się mylę.**
I think Maria's going back to London in two days' time but
maybe I'm wrong.

6.3 Personal pronouns – dative case

Here are the personal pronouns in the case forms which you've learnt up until now:

Nom.	Acc.	Gen.	Dat.
ja	mnie, mię	mnie, mię	mnie, mi
ty	ciebie, cię	ciebie	tobie, ci
on	jego, go	jego, go	jemu, mu
	(niego)	(niego)	(niemu)
ona	ją (nią)	jej (niej)	jej (niej)
ono	je (nie)	jego, go	jemu, mu
		(niego)	(niemu)
my	nas	nas	nam
wy	was	was	wam
oni	ich (nich)	ich (nich)	im (nim)
one	je (nie)	ich (nich)	im (nim)

Reflexive	się	siebie	sobie

Polite	pan	pana	pana	panu
	pani	panią	pani	pani
	państwo	państwo	państwa	państwu
	panowie	panów	panów	panom
	panie	panie	pań	paniom

VOCABULARY

brzuch	stomach
chociaż	albeit, though; at least
ciąża	pregnancy
być w ciąży	to be pregnant
czas	time
dbać (III), zadbać (III)	to take care of
dieta	diet
dokuczać (III), dokuczyć (II)	to annoy, tease
dzień (*pl.* dni)	day
godzina	hour
inny	different, other
jakieś	some sort of
jeszcze jeden	yet another

joga	yoga
kaszleć (I), **kaszlnąć** (I)	to cough
kichać (III), **kichnąć** (I)	to sneeze
księgarnia	bookshop
masaż	massage
mdłości	nausea
niech: niech pani dba o	to take care of
objaw	symptom
od paru	for (since) a couple of
odżywiać (III) **się, odżywić** (II) **się**	to nourish oneself
otwarty	open
płaszcz	coat
pobolewać (*freq.*)	to hurt (intermittently)
podenerwowany	irritated
powinna: pani powinna	you ought to
proszek	powder, tablet
przeziębiać (III) **się, przeziębić** (II) **się**	to catch a cold
przeżywać (III), **przeżyć** (I)	to experience, survive
rada	advice
relaksować (I) **się, zrelaksować** (I) **się**	to relax
robota	work, job
siąkać (III), **siąknąć** (I)	to sniff
spokój	peace
spokojny	calm (*adj.*)
spóźnienie	late-coming
stres	stress
szczęście	luck
trochę	a little
urlop	holiday
wakacje	holiday
jechać na wakacje	to go on holiday
wykrajać (III), **wykroić** (II)	to cut out
zasada	principle
w zasadzie	in principle
znowu	again
życzenie	wish

Exercise 22

Translate, paying particular attention to the prepositions and case endings:

1 He thanked his mother and went to the cinema.
2 Thanks to my brother I was late again. I waited a very long time for him and he didn't even apologize for being late [*lit.* his lateness].

3 Mr Siarski went to the lawyer and wished him luck.
4 During the holidays Witold helped his mother do the shopping.
5 He thanked his father for the advice but did (that) what he wanted to do.
6 I feel sorry for Peter that he can't go on holiday.
7 Witold told Martha that he wants to meet her near the museum.
8 Mrs Siarski went to the bookshop opposite the library because, contrary to Mr Siarski's wishes, she wanted to buy herself yet another book.
9 Maciek helped his sister write the letter and went to the post office to send it.
10 He went out without a coat because he was hot and caught a cold. Now he's sneezing, coughing and sniffing.

6.4 Word order

The order of words in Polish is much the same as in English. That is:

subject – verb – indirect object – direct object

Polish does, however, allow for a greater freedom of manipulation. Phrases and clauses can be moved around for emphasis. You will generally find that words which are emphasized are placed at the beginning or the end of a sentence. Compare, for example:

W Londynie byłam w marcu.   I was in London in March.
(Here in London is emphasized.)

with:

W marcu byłam w Londynie.   In March I was in London.
(In this case it is in March which is emphasized.)

Remember: Pronouns are generally omitted since the flexion of the language, i.e. the various case forms, adds to clarity of meaning. However, you'll find that they are used where otherwise there would be ambiguity and where emphasis is desired.

CONVERSATION

U lekarza

Doktor	Dzień dobry.
Pani Kowal	Dzień dobry, panie doktorze.
Doktor	Dawno pani nie widziałem. To pewnie znaczy, że pani zdrowa.
Pani Kowal	Tak, panie doktorze. W zasadzie jestem zdrowa. Bardzo mało choruję.
Doktor	No to dlaczego pani przychodzi do mnie? Co pani dokucza?
Pani Kowal	Nie wiem, co to jest, ale od paru dni nie jestem sobą. Jestem bardzo zmęczona i podenerwowana.
Doktor	Może pani za dużo pracuje. Albo przeżywa pani jakieś stresy.
Pani Kowal	Może tak, zawsze mam za dużo do roboty. Ale to nie wszystko, panie doktorze.
Doktor	Słucham.
Pani Kowal	Mam mdłości.
Doktor	Nie jest pani w ciąży?
Pani Kowal	Nie, to napewno nie.
Doktor	A boli panią brzuch? Są jakieś inne objawy?
Pani Kowal	Owszem, pobolewa.
Doktor	Dam pani proszki na mdłości, ale, wie pani, wydaje mi się, że pani powinna się zrelaksować. Pochodzić na jogę, medytację, masaże, poczytać jakąś spokojną książkę ... Wykroić sobie trochę czasu dla siebie. Chociaż pół godziny dziennie. I niech pani dba o dietę, dobrze się odżywia.
Pani Kowal	Dziękuję, panie doktorze. A czy jest tu w pobliżu apteka?
Doktor	Owszem, jest naprzeciwko. I otwarta jest do szóstej wieczorem.
Pani Kowal	Jeszcze raz dziękuję i do widzenia.
Doktor	Do widzenia. I życzę pani spokoju.

TRANSLATION

At the doctor's

Doctor	Good afternoon.
Mrs Kowal	Good afternoon, doctor.
Doctor	I haven't seen you for a long time. No doubt that means you're well.
Mrs Kowal	Yes, doctor. On the whole (*lit.* In principle) I'm well. I'm very rarely ill (*lit.* I'm ill very little).
Doctor	Well then, why have you come to see me? What ails you?
Mrs Kowal	I don't know what it is but for a couple of days I haven't been myself. I'm very tired and irritable.
Doctor	Maybe you work too hard (*lit.* much). Or you're experiencing some stress.
Mrs Kowal	Maybe I am. I've always got too much work. But that's not all, doctor.
Doctor	Yes (*lit.* I'm listening.)
Mrs Kowal	I feel sick.
Doctor	You're not pregnant?
Mrs Kowal	No, definitely not.
Doctor	And do you have a stomach ache? Are there any other symptoms?
Mrs Kowal	Indeed, it does hurt from time to time.
Doctor	I'll give you some tablets for the nausea but, you know, it seems to me that you ought to relax. Go to yoga, meditation, massages, read a peaceful book ... Cut out a bit of time for yourself. At least half an hour a day. And take care of your diet, eat well.
Mrs Kowal	Thank you, doctor. And is there a chemist's in the vicinity?
Doctor	Indeed, there's one opposite. And it's open until six in the evening.
Mrs Kowal	Thank you once again and goodbye.
Doctor	Goodbye. And I wish you some peace.

6.5 The future tense

There are two forms of the future tense in Polish, both relatively simple to learn. They are the simple future tense and the compound future tense and they follow the notion of perfective/imperfective aspects – or, more easily, completed/continuous action – which you met in Lesson 5.

6.6 The simple future tense

The simple future tense implies a single action, i.e. one which will be completed – 'I'll read', 'you'll see', 'he'll go', etc. It is formed by taking the stem of the perfective infinitive of the verb and adding the appropriate present tense ending.

Take the verb 'to pay', for example. The imperfective infinitive is **płacić** (II) and the present tense conjugates:

płacę	płacimy
płacisz	płacicie
płaci	płacą

To form the simple future tense take the stem of the perfective infinitive (**zapłacić**) of this verb, which will be **zapłac-**, and add the above endings. So the simple future – 'I'll pay', 'you'll pay', 'he'll pay', etc. – is:

zapłacę	zapłacimy
zapłacisz	zapłacicie
zapłaci	zapłacą

6.7 The compound future tense

The compound future tense corresponds to the notion of the imperfective aspect and implies a repeated or continuing future action – 'I'll be reading', 'you'll be seeing', 'he'll be going', etc. It can be formed in one of two ways:

- Take the simple future tense of the verb 'to be' (**być**) and add the imperfective infinitive.

Future tense of być

będę	będziemy
będziesz	będziecie
będzie	będą

I'll be reading	będę czytać
you'll be reading	będziesz czytać
he'll/she'll be reading	będzie czytać
we'll be reading	będziemy czytać
you'll be reading	będziecie czytać
they'll be reading	będą czytać

OR

- Take the future tense of **być** and add the 3rd person singular or plural of the imperfective past tense of the verb:

I'll be reading	**będę czytał(-a)**
you'll be reading	**będziesz czytał(-a)**
he'll be reading	**będzie czytał**
she'll be reading	**będzie czytała**
it'll be reading	**będzie czytało**
we'll be reading	**będziemy czytali/-ły**
you'll be reading	**będziecie czytali/-ły**
they'll be reading	**będą czytali/-ły**

REMEMBER: The 3rd person past tense endings agree in gender with the subject:

Masc. + Fem. + Neut. in the singular
Men only + all others in the plural.

This second form of the future compound tense is the more frequently used.

VOCABULARY

góra	mountain
grzyb	mushroom
ogród	garden
płot	fence
pływać (III), **popływać** (III)	to swim
pogoda	weather
prawo	right
w prawo	to the right
skakać (I), **skoczyć** (II)	to jump
szukać (III), **poszukać** (III) + *gen.*	to look for
śliczny	lovely
układać (III), **ułożyć** (II)	to arrange
wcale nie	not at all
wkrótce	soon
zamek	castle; lock
zmieniać (III), **zmienić** (II)	to change
znajdować (I), **znaleźć** (I)	to find
zupełnie	completely
żaden	none, nobody
życie	life

Exercise 23

Put the verbs into the appropriate future tenses and translate:

1 Czytałem, kiedy on zadzwonił.
2 Bruno zjadł kolację i spotkał się z Leszkiem.
3 Była piękna pogoda, więc siedziałyśmy w ogrodzie.
4 Jurek zgubił książkę matki, ale wkrótce ją znalazł.
5 Jest śliczna pogoda. Chcę iść na spacer.
6 Alfred kupił kwiaty i pięknie je ułożył.
7 Dlaczego nie chcecie iść do kina?
8 Coś się jej w życiu zmieniło, bo jest bardzo spokojna.
9 On bardzo dobrze pływał, ale nie tak dobrze skakał.
10 Andrzej i Małgosia szukali grzybów, ale nic (żadnych grzybów) nie znaleźli.

Lesson 7

7.1 Locative case

The locative case indicates where an action takes place. Which prepositions take the locative will be explained in the next section (7.2). For the present, just see how it is formed.

● **Singular nouns**

(a) Locative singular <u>masculine and neuter nouns</u> add either **-e** or **-u** to the nominative singular form.

Nouns ending in a hard consonant take **-e**.

kot – kocie	cat
nos – nosie	nose
drzewo – drzewie	tree
okno – oknie	window
miasto – mieście	town

(Remember a hard consonant is softened before the **-e**).

Nouns ending in a soft or hardened consonant, in **k**, **g**, or **ch**, take **-u**:

pokój – pokoju	room
lekarz – lekarzu	doctor
rok – roku	year
dach – dachu	roof

A few other masculine and neuter nouns also take the **-u** ending.

pan – panu	Mr, gentleman
mąż – mężu	husband
syn – synu	son
łóżko – łóżku	bed
oko – oku	eye

BUT:

imię – imieniu	
cielę – cielęciu etc.	

(b) Locative singular <u>feminine nouns</u> substitute the final **-a** of the nominative singular with **-e**, **-i** or **-y**.

Where the final consonant is hard, the locative singular ending is **-e**:

kobieta – kobiecie	woman
siostra – siostrze	sister
ręka – ręce	hand
noga – nodze	leg

(Remember: **t** becomes **ci**, **k** becomes **c**, **r** becomes **rz** and **g** becomes **dz**.)

Where the final consonant is soft, the ending is **-i**:

ciocia – cioci	auntie
pani – pani	Mrs/Miss/Ms

Where the final consonant is hardened or is **c**, the ending is **-y**:

noc – nocy	night
rzecz – rzeczy	thing
ulica – ulicy	road/street
stolica – stolicy	capital city

- **Singular adjectives**

(a) Locative singular <u>masculine and neuter adjectives</u> end in **-ym**, except where the final consonant is **k** or **g**, in which case the ending is **-im**.

suchy – suchym	dry
długi – długim	long

(b) Locative singular <u>feminine adjectives</u> end in **-ej**, except again where the final consonant is **k** or **g**, in which case the ending is **-iej**:

sucha – suchej	
długa – długiej	

● Plural nouns

What a relief! <u>All</u> locative plural nouns, regardless of gender, end in -ach.

(*masc.*) kot – kotach
nos – nosach
pokój – pokojach
lekarz – lekarzach
dach – dachach
pan – panach
mąż – mężach
syn – synach

(*fem.*) ciocia – ciociach
pani – paniach
noc – nocach
rzecz – rzeczach
ulica – ulicach

(*neut.*) łóżko – łóżkach
drzewo – drzewach
miasto – miastach
okno – oknach

NOTE:
oko – oczach, and imię – imionach, cielę – cielętach etc.

● Plural adjectives

<u>All</u> locative plural adjectives end either in -ych or in -ich (-ich after either k or g).

suchy dom – suchych domach
długa ulica – długich ulicach
duże miasto – dużych miastach

7.2 Uses of the locative case

The locative case is used after a number of prepositions, the main ones being:

na   on, in, at
o   at, about
po   after
po   along, about (all over)

przy   near, beside, at
w/we   in, inside

Kot leży na łóżku.
The cat is lying on the bed.

Okropnie się nudziłem/-łam na początku.
I was extremely bored at the beginning.

Program rozpoczyna się o godzinie szóstej.
The programme starts at six o'clock.

O czym żeście dyskutowali?
What were you discussing?

Po zebraniu pójdziemy na kawę.
We'll go for a coffee after the meeting.

Zebranie jest po południu.
The meeting is in the afternoon (*lit.* after noon).

Jabłko potoczyło się po podłodze.
The apple rolled along the floor.

Jurek siedzi przy biurku i pisze wypracowanie.
Jurek is sitting at his desk and writing an essay.

We wrześniu jedziemy do Stanów.
We're going to the States in September.

VOCABULARY

bajka	story
dolny	lowest, bottom
gruby	fat, thick
kalendarzyk	calendar, pocket diary
krasnoludek	dwarf
leżeć (II)	to lie
nauczyciel(ka)	teacher
parasolka	umbrella
skarpetka	sock
szuflada	drawer
trawa	grass
zapisywać (I), **zapisać** (I)	to note down

Exercise 24

Translate into Polish:

1 The professor's thick book is (*lit.* is lying) on the table.
2 We'll go to the cinema after dinner.

3 On our street is a very good and cheap restaurant.
4 You're (*pl.*) sure to find (*lit.* You'll certainly find) socks in the bottom drawers.
5 Maria's friend forgot (her) umbrella by the door.
6 The teacher read the children a beautiful story about dwarves.
7 The children are running on (all over) the grass.
8 Jerzy noted down (for himself) the date in (his) pocket diary.

7.3 Comparison of adjectives

- Comparative adjectives, as the name suggests, are those adjectives which express a higher degree of the quality or attribute of a simple adjective. They decline in the same way as simple adjectives.

(a) To form the nominative singular comparative of a simple <u>singular adjective</u>, simply drop the final **-y, -a,** or **-e** and add **-szy, -sza,** or **-sze.**

stary/-a/-e	old	**starszy/-sza/-sze**	older
młody/-a/-e	young	**młodszy/-sza/-sze**	younger
nowy	new	**nowszy**	newer
gruby	fat	**grubszy**	fatter
chudy	thin (*animate*)	**chudszy**	thinner
ciekawy	interesting	**ciekawszy**	more interesting

However, adjectives which end in two or more consonants substitute: **-iejszy, -iejsza, -iejsze:**

nudny/-a/-e	boring	**nudniejszy/-iejsza/-iejsze**
ładny	pretty/attractive	**ładniejszy**
zimny	cold	**zimniejszy**
ostrożny	careful	**ostrożniejszy**

Those adjectives which end in **-ki, gi, -oki, -ogi, -eki** drop these endings before adding **-szy, -sza, -sze.**

wysoki/-a/-e	tall	**wyższy/-sza/-sze**
niski	short (*pers.*) low (*thing*)	**niższy**
tęgi	stout	**tęższy**
długi	long	**dłuższy**
bliski	near/close	**bliższy**
daleki	far	**dalszy**

(Before comparative endings, **-s** and **-g** become **-ż** while **-ł** becomes **-l.**)

Inevitably, there are some irregular comparative adjectives, including:

dobry	good	**lepszy**	better
zły	bad	**gorszy**	worse
mały	small	**mniejszy**	smaller
duży ⎫ **wielki** ⎭	big, great	**większy**	bigger
lekki	light	**lżejszy**	lighter

(b) Comparative endings of <u>plural adjectives</u> are as follows:

  (a) **-si** for adjectives qualifying men:

      młodsi panowie   younger men

  (b) **-sze** for adjectives qualifying all other nouns:

      młodsze panie   younger women
      młodsze dzieci   younger children

- Superlative adjectives are those which, in comparing a number of nouns, express the highest degree of a quality or attribute. Again, these are declined in the same way as other adjectives.

  The superlative adjective is extremely easy to form. Just prefix the comparative adjective with **naj-**.

młody	**młodszy**	**najmłodszy**
young	younger	youngest
ciepły	**cieplejszy**	**najcieplejszy**
hot/warm	hotter	hottest

- There is an alternative way of forming comparative and superlative adjectives in Polish. This is by placing **bardziej** (more) before the adjective to express the comparative and **najbardziej** (the most) to express the superlative.

interesujący	interesting
bardziej interesujący	more interesting
najbardziej interesujący	the most interesting

- Conversely, to express a lesser degree of the quality or attribute of an adjective, simply add **mniej** (less) before the adjective and to express the lowest degree add **najmniej** (the least):

interesujący	interesting
mniej interesujący	less interesting
najmniej interesujący	the least interesting
ostrożny	careful
mniej ostrożny	less careful
najmniej ostrożny	the least careful

VOCABULARY

ciemny	dark
hałaśliwy	noisy
liczny	numerous
rozsądny	sensible
ruchliwy	active, lively (*pers.*), busy (*street, etc.*)
surowy	raw
trudny	difficult
uparty	stubborn, obstinate
zwykły	ordinary

Exercise 25

Give the Polish comparatives and superlatives of the following adjectives:

1 reasonable (*masc. sing.*)
2 ordinary (*fem. sing.*)
3 difficult (*neut. pl.*)
4 dark (*neut. sing.*)
5 numerous (*neut. pl.*)
6 beautiful (*fem. sing.*)
7 noisy (*masc. sing.*)
8 busy (*fem. sing.*)
9 bad (*fem. sing.*)
10 light (in weight, or intellectually) (*neut. sing.*)
11 near (*masc. pl. – men*)
12 cold (*masc. pl. – men*)
13 obstinate (*masc. pl. – men*)
14 raw (*fem. pl.*)
15 old (*neut. pl.*)

Remember the important distinction between plural adjectives: *men + all others.*

7.4 Comparison of adverbs

In the same way as there are degrees of comparison in the qualities or attributes of adjectives, so there are degrees of comparison in adverbs.

Thankfully, comparative and superlative adverbs are no harder to learn than the adjectives and are formed in much the same way.

- In order to form a comparative adverb, simply drop the final **-o** and add **-iej**. (The **-i** softens the preceding consonant.)

wolno	slowly	**wolniej**	more slowly
sztywno	stiffly	**sztywniej**	more stiffly

- Just as to form a superlative adjective you added the prefix **naj-** to the comparative form of the adjective, so to form a superlative adverb you add the same prefix **naj-** to the comparative adverb:

wolno	**wolniej**	**najwolniej**
slowly	more slowly	slowest
sztywno	**sztywniej**	**najsztywniej**
stiffly	more stiffly	most stiffly

Again, just as the adjectives ending in **-ki**, **-gi**, **-oki** and **-ogi** lose these endings before adding the appropriate comparative ending, so adverbs ending in **-ko**, **-go**, **-oko**, **-ogo** and **-eko** lose their endings before the addition of **-iej**.

blisko	**bliżej**	**najbliżej**
close	closer	closest
daleko	**dalej**	**najdalej**
far	further	furthest
długo	**dłużej**	**najdłużej**
long	longer	longest
krótko	**krócej**	**najkrócej**
short	shorter	shortest
ciepło	**cieplej**	**najcieplej**
warm	warmer	warmest

Remember: **g** and **s** becomes **ż**; **ł** becomes **l**.

VOCABULARY

chętny	willing
chyba	probably
duszno	stuffy
kasjer, kasjerka	cashier
kiedykolwiek	whenever
kończyć (II), skończyć (II)	to finish
miesiąc	month
najwyżej	at the most
narzeczona	fiancée
nudny	boring
ogórek	cucumber
ostry	sharp; severe
poważny	serious
reagować (I), zareagować (I)	to react
sala	hall
stawać (I) się, stać (I) się	to become
stoisko	stall, stand
strasznie	terribly
sztuka	art; play
targ	market
wolny	free
zniżka	reduction, discount

Exercise 26

Translate into Polish:

1 Mr Milewski eats very slowly but his wife eats even more slowly.
2 Excuse me (*lit.* I apologise), where is the nearest food shop?
3 Jerzy thought that he'd bought the cheapest cucumbers on the market but his fiancée found a stall where they sold cucumbers even more cheaply.
4 Why do you react so severely (*fam.*)? After all, nothing (of) serious has happened.
5 You can ask the cashier for a reduction. At the most she'll say 'no'.
6 Yesterday was the coldest day of the month.
7 He'll certainly do it better than you.
8 – At the Teatr Wielki there's an excellent play on (*lit.* going). Shall we go together?
  – Very willingly.

9 That was probably the most boring play that I've ever seen in my life. And in the auditorium it was terribly stuffy.

7.5 More conjunctions

In 5.6 we met some conjunctions. Here are some more, which link clauses together. (In Polish these conjunctions are generally preceded by a comma.)

że	that
żeby	so as to
gdyby	if
jak	how
kiedy/jak	when
jak tylko	as soon as
jak	like/as
jak gdyby/jakby	as if
aż	until
zanim	before
ponieważ/bo/dlatego, że	because
choć/chociaż	although
mimo że	even though

Myślę, że dobrze zrobiłeś.
I think [that] you did the right thing.

Tak sobie ułożyłem czas, żeby móc wstąpic do biblioteki.
I organized my time so as to be able to pop into the library.

Nie wiem, jak to zrobić.
I don't know how to do it.

Odwiedziłem go, kiedy/jak był chory.
I visited him when he was ill.

Zadzwonię do ciebie, jak tylko przyjadę.
I'll phone you as soon as I arrive.

Wyglądało, jak gdyby miało padać.
It looked as if it was going to rain.

Poczekam tu, aż wrócisz.
I'll wait here until you get back.

Zadzwoń, zanim przyjdziesz.
Phone before you come.

Kupię tę książkę, chociaż nie mam pieniędzy.
I'll buy this book even though I don't have any money.

Spotkałam się z nim, mimo że go nie lubię.
I met him even though I don't like him.

7.6 Directions

iść ulicą	to follow a street
skręcać (III), skręcić (II)	to turn
mieszkać (III) przy ulicy X	to live on road X
mieszkać pod numerem 7	to live at number 7
na lewo	on the left
na prawo	on the right
na rogu	on the corner
w prawo	to the right
w lewo	to the left
pasy	zebra crossing
po drugiej stronie ulicy	on the other side of the street
po lewej stronie ulicy	on the left side of the street
po prawej stronie ulicy	on the right side of the street
postój taksówek	taxi rank
prosto	straight ahead
skrzyżowanie	crossroads
stacja	station
światła	traffic lights
przecznica	cross street
m. mieszkanie	flat
ul. ulica	road, street.
ul. Elektoralna 30 m. 87 Warszawa	30 Elektoralna Street, Flat no. 87, Warsaw

VOCABULARY

akademicki	academic
błądzić (II), zabłądzić (II)	to roam, to stray
dalej	further
głowny	main
katedra	cathedral
kościół	church
krok	step, pace
metr	metre
odwrotnie	on the contrary
para	couple
plac	square

prosto	straight ahead
prosty	straight
rynek	market square
serdeczny	sincere, cordial
spacer	walk
święty, święta	saint
święty	holy
wydawać (I) **się**	to seem

CONVERSATION

Kierunek

Maria   Proszę pana, jak stąd dojść do Starego Miasta?

Portier   To zupełnie proste, proszę pani.

Maria   Prosto tą ulicą?

Portier   Nie, nie, 'Zupełnie proste' – łatwo. Jak pani wyjdzie tu z hotelu, skręci pani w lewo.

Maria   To znaczy, nie w kierunku Ogrodu Saskiego?

Portier   Nie, odwrotnie. Skręci pani w lewo i znajdzie się pani na Krakowskim Przedmieściu.

Maria   Czy to daleko?

Portier   Nie, to parę kroków. Pięćdziesiąt metrów najwyżej.

Maria   I jak dalej?

Portier   Znowu pani skręci w lewo i pójdzie pani prosto, aż pani dojdzie do kościoła.

Maria   Jak się ten kościół nazywa?

Portier   Świętej Anny.To jest kościół akademicki. Przed kościołem zobaczy pani Kolumnę Zygmunta i przy kościele Zamek Królewski. No i to już jest Stare Miasto. Nie może pani zabłądzić.

Maria   Mogę, mogę. Ja potrafię zgubić się na własnej ulicy. A Rynek Starego Miasta jest tuż przy Zamku?

Portier   Nie. Przed Zamkiem jest plac. Przejdzie pani przez plac. Po prawej stronie stoi Zamek, a po lewej są małe uliczki. Proszę nie skręcać w tą główną ulicę, którą jadą autobusy. Pójdzie pani trochę dalej i skręci pani w drugą przecznicę, która się nazywa ul. Świętego Jana.

Maria   Dlaczego Świętego Jana?

Portier   Bo na niej stoi Katedra Świętego Jana. Pójdzie pani Świętego Jana do końca i zobaczy pani Rynek.

Maria   To strasznie daleko.

Portier	Wcale nie. To tylko się tak wydaje. Dziesięć, piętnaście minut piechotą najwyżej.
Maria	Dziękuję panu serdecznie.
Portier	Proszę bardzo. Życzę miłego spaceru.

TRANSLATION

Directions

Maria	[Excuse me.] How do I get to the Old Town from here?
Porter	It's very straightforward. [Please.]
Maria	Straight along this road?
Porter	No. no, 'straightforward' – easy. As you go out of the hotel, turn left.
Maria	That means not in the direction of the Saski Park?
Porter	No, the other way. You turn left and you'll be on Krakowskie Przedmieście.
Maria	Is it far?
Porter	No, a couple of paces. Fifty metres at the most.
Maria	And then?
Porter	You turn left again and go straight ahead until you reach a church.
Maria	What's the church called?
Porter	Saint Anne's. It's a students' church. You'll see Zygmunt's Column in front of the church and next to the church the Royal Castle. And that's the Old Town. You can't get lost.
Maria	I can, I can. I can get lost on my own street. And is the Old Town Market Place right near the Castle?
Porter	No. There's a square in front of the Castle. Cross the square. On the right hand side is the Castle and on the left little streets. Don't turn into the main street where the buses go. Go a little further and turn into the second cross street which is called Saint John's Street.
Maria	Why Saint John's?
Porter	Because Saint John's Cathedral's there. Follow Saint John's to the end and you'll see the Market Place.
Maria	That's terribly far.
Porter	Not at all. It only sounds like that. Ten, fifteen minutes on foot at the most.
Maria	Thank you very much.
Porter	You're welcome. I wish you a pleasant walk.

Lesson 8

8.1 Verbs expressing obligation

The notion of obligation can be quite fluid in that there are various degrees of 'having' to do something. And Polish reflects the strength of obligation by using a number of different verbs.

The strongest of these verbs, **musieć**, which literally means 'to have to/must', denotes duty and firm obligation.

Muszę w tej chwili wyjść, inaczej spóźnię się do pracy.
I have to go this minute, otherwise I'll be late for work.

Marta musi przygotować się do lekcji fortepianu.
Martha has to get ready for her piano lesson.

There is no perfective form of **musieć**.

The less strong verb **powinienem** does not express strict obligation but rather denotes that something is fitting and proper and can be translated as 'I should/ought to'. There is no infinitive of this verb in Polish but it is conjugated as follows:

	masc.	*fem.*
sing.	powinienem	powinnam
	powinieneś	powinnaś
	powinien	powinna
pl.	powinniśmy	powinnyśmy
	powinniście	powinnyście
	powinni	powinne

To form the past tense, take the present tense and add:

był   for masculine singular
byli for masculine plural

była for feminine singular
były for feminine plural

Powinienem/Powinnam przeczytać książkę przed jutrzejszą lekcją.
I ought to read the book for tomorrow's lesson.

Ona powinna była wysłać pocztówkę do matki.
She should have sent her mother a postcard.

Jacek powinien być na stacji o szóstej rano.
Jacek ought to be at the station at six o'clock.

The neuter singular – **powinno (było/być)** – is used to express impersonal statements:

Jutro powinno być ładnie. It ought to be fine tomorrow.

Another verb of obligation – **trzeba** (should) – is used solely in the 3rd person. It is always followed by an infinitive. Its meaning lies somewhere between **musieć** and **powinienem**.

Jest już późno. Niestety, trzeba iść do domu.
It's already late. Unfortunately we have to go home
[one has to go home].

VOCABULARY

dentysta	dentist
gdy	when, as
gospodarować (*imp.* I)	to manage, administer
inaczej	otherwise, differently
jak tylko	as soon as
kara	punishment, fine
łapać (I), **złapać** (I)	to catch
mieć (III) **ochotę na coś**	to feel like, fancy something
naprawdę	really
następny	next
odczyt	lecture
Stany	the States
szef	boss
umawiać (III), **umówić** (II)	to appoint (an hour, place), fix (a time)
ważny	important
wina	fault, guilt
wpłacać (III), **wpłacić** (II)	to pay in
wyjeżdżać (III), **wyjechać** (I)	to depart, go
ząb	tooth
zebranie	meeting
zupa	soup

Exercise 27

Translate into Polish:

1 Marek really ought to talk to (**ze**) his boss before he leaves for the States for (**na**) three months.
2 You (*fam.*) should have told me that you don't feel like any soup.
3 I've got to go to the bank to pay in some money today although I haven't got any time.
4 You shouldn't (*fam. to a woman*) have shouted at (**na**) him because it wasn't his fault.
5 His father always has to pay for (**za**) him. He really ought to learn to manage his money better.
6 If you (*pol. to man*) don't go to the library and return that book by Tuesday, you'll have to pay a large fine.
7 As soon as you can you (*pol. to woman*) ought to phone the doctor and make an appointment.
8 When you have a toothache you have to go to the dentist. (*lit.* When a tooth hurts, one has to go to the dentist.)
9 After the meeting, Andrzej had to meet his boss because the following day he was off to an important conference.
10 We ought to catch the train in the morning, otherwise we might be late for the first lecture.

8.2 Impersonal expressions

• In some cases there is no person involved at all. The subject is an indeterminate 'it'.

Świta.
It's dawn(ing).

Ściemnia się.
It's growing dark.

Co za pogoda! Wciąż pada!
What weather! It never stops raining
    (*lit.* It's constantly raining).

Tak się rozpadało, że zalało szosę.
It's pouring so hard that the road's flooded
    (that it's flooded the road).

Ależ pięknie pachnie świeżo koszoną trawą!
What a beautiful smell of freshly cut grass!
    (*lit.* How beautifully it smells of freshly cut grass!)

No, tak już się miało stać.
Well, that's how it was supposed to be.
(*lit.* that's what had to happen).

● In other cases, though a person is involved, they will be in either the accusative or the dative case, rather than being the subject of the sentence.

(a) *Accusative*

Jest tak jasno, że razi mnie w oczy.
It's so bright that it's dazzling me
(*lit.* dazzling me in the eyes).

Jurka łamie w kościach.
Jurek's bones ache.

Mdli mnie.
I feel sick.

Boli mnie głowa.
I've got a headache.
(*lit.* The head hurts me.)

(b) *Dative*

Szumi mi w uszach.
My ears are buzzing.

Przypomniało mi się jak byliśmy na nartach.
I remember the time when we went skiing.

**Płakać mi się chciało jak usłyszałam, że Jurek
znowu się rozchorował.**
I wanted to cry when I heard that Jurek was ill again.

Ależ mi się chciało śmiać!
How I wanted to laugh!

Podoba ci się ta sukienka?
Do you like that dress?

Udało mi się kupić chleb razowy.
I managed to buy some wholemeal bread.

Przykro mi (jest), że się spóźniłam.
I am sorry I was late.

VOCABULARY

brak	shortage, lack
chiński	Chinese
drugi	second, another
głośno	loudly
grzmieć (II), **zagrzmieć** (II)	to thunder
konferencja	conference
kręcić (II) **się, pokręcić** (II) **się**	to go round, wander
nagle	suddenly
ochładzać (III) **się, ochłodzić** (II) **się**	to become cooler
ponury	gloomy
przyjęcie	reception
rozpadać (III) **się, rozpaść** (I) **się**	to start pouring (with rain)
rozpogadzać (III) **się,**	
rozpogodzić (II) **się**	to grow brighter (weather)
sen	dream
smutny	sad
sweter	jumper
upierać (III) **się, uprzeć** (I) **się**	to persist
wkładać (III) **włożyć** (II)	to put on
wymigiwać (I) **się, wymigać** (III) **się**	to evade, shirk
zachciewać (III) **się,**	
zachcieć (I) **się**	to want, feel like, have a whim
ze (=z)	with

Exercise 28

Translate into English:

1 Przykro mi (jest), że nie możecie przyjść.
2 Tak głośno zagrzmiało, że Marceli schował się pod łóżko!
3 Nagle zachciało mu się pójść do chińskiej restauracji.
4 Kręciło mu się w głowie z braku snu.
5 Nareszcie rozpogodziło się!
6 Wczoraj było bardzo ponuro. Wszystkim było smutno i chciało się spać.
7 Było mu zimno, ale uparł się i nie włożył drugiego swetra.
8 Ochłodziło się dzisiaj i strasznie się rozpadało.
9 Nie chciało mi się iść na przyjęcie, ale nie udało mi się wymigać.
10 Przyszło mi do głowy, że może razem zjemy kolację.

8.3 Instrumental case

Quite logically, the instrumental case is the case form used to express the means by which an action is performed. It denotes the 'instrument' of an action.

- **Singular nouns**

(a) Instrumental singular <u>masculine and neuter nouns</u> add **-em** to the nominative singular form but where the last consonant of the nominative is **k** or **g** this, as usual, is first softened by adding **-i** before the **-em**.

rozum – rozumem	reason
ból – bólem	pain
lekarz – lekarzem	doctor
okno – oknem	window
pole – polem	field

but

rok – rokiem	year
sok – sokiem	juice
wujek – wujkiem	uncle
imię – imieniem	
cielę – cielęciem etc.	

(b) Instrumental singular <u>feminine nouns</u> all replace the final **-a** of the nominative singular with **-ą**:

kobieta – kobietą	woman
głowa – głową	head

- **Singular adjectives**

(a) Instrumental singular <u>masculine and neuter adjectives</u> end in either **-ym** or **-im**. You will probably by now recognize the rule:

Those adjectives ending in a hard or hardened consonant take **-ym**:

młody – młodym	young
zielone – zielonym	green

Adjectives ending in a soft consonant or in **k** or **g** take **-im**:

słodki – słodkim	sweet
tani – tanim	cheap
szerokie – szerokim	wide

(b) All instrumental singular <u>feminine adjectives</u> take the same ending as do most instrumental feminine nouns, that is **-ą**:

barwna książka – barwną książką	colourful book
papierowa serwetka – papierową serwetką	paper napkin
ciężka walizka – ciężką walizką	heavy suitcase

● **Plural nouns**

Most instrumental plural nouns, <u>regardless of gender</u>, are formed by adding **-ami** to the nominative singular form:

masc.	**rozum**	**rozumami**
	lekarz	**lekarzami**
	chłopak	**chłopakami**
	sok	**sokami**
fem.	**kobieta**	**kobietami**
	głowa	**głowami**
neut.	**okno**	**oknami**
	pole	**polami**
	imię	**imionami**
	cielę	**cielętami** etc.

Some nouns ending in a soft consonant take only **-mi**.

koń – końmi	horse
gość – gośćmi	guest
pieniądz – pieniędzmi	money

● **Plural adjectives**

All instrumental plural adjectives, again <u>regardless of gender</u>, end in either **-ymi** or **-imi**. The usual rule applies:

Adjectives ending in a hard or hardened consonant take **-ymi**.

masc.	**młody profesor**	**młodymi profesorami**
fem.	**barwna książka**	**barwnymi książkami**
	papierowa serwetka	**papierowymi serwetkami**
neut.	**zielone pole**	**zielonymi polami**

Those adjectives ending in a soft consonant or in **k** or **g** take **-imi**:

masc.	**słodki cukierek**	**słodkimi cukierkami**	sweet sweet
	tani płaszcz	**tanimi płaszczami**	
fem.	**ciężka walizka**	**ciężkimi walizkami**	
neut.	**szerokie okno**	**szerokimi oknami**	

This may make the instrumental form a little easier for you to learn:

1 Masculine and neuter nouns share the same instrumental endings.
2 All adjectives, regardless of gender, take the same instrumental endings.

VOCABULARY

biżuteria	jewellery
budynek	building
dolar	dollar
Irlandczyk, Irlandka	Irishman, Irishwoman
kroić (II), **pokroić** (II)	to cut
kwaśny	sour
łyżka	spoon
młotek	hammer
narzeczony	fiancé
nowoczesny	modern
nóż	knife
ołówek	pencil
poważny	serious
półka	shelf
różowy	pink
srebrny	silver
stawiać (III), **postawić** (II)	to put, place
taksówka	taxi
tępy	blunt, dull-witted
twardy	hard, tough
ucho	ear
umawiać (III) **się, umówić** (II) **się**	to agree, make an appointment
uniwersytet	university
waluta	currency
twarda waluta	hard currency
wczorajszy	yesterday's
widelec	fork
wołowina	beef
zajęty	occupied, busy

zegarek	watch
zepsuty	rotten, broken
zostawiać (III), **zostawić** (II)	to leave
zsiadłe mleko	soured milk

Exercise 29

Give the instrumental forms of the following:

1 różowy kwiat
2 twardy ołówek
3 wielkie młotki
4 szare budynki
5 duże ucho
6 drogie restauracje
7 poważna praca
8 młodzi Irlandczycy
9 wolna taksówka
10 zajęte pokoje
11 wczorajszy chleb
12 zsiadłe mleko
13 kwaśne wina
14 tępe noże
15 srebrna biżuteria
16 zepsute zegarki
17 nowoczesna wystawa
18 twarda waluta
19 duże łyżki
20 mój widelec

8.4 Uses of the instrumental case

There are a number of uses of the instrumental case in Polish, some of which may seem more logical than others to the English-speaking person.

- As already mentioned in sections 1.8 and 8.3, the instrumental case generally indicates the means by which something is done. These include:

(a) the tool, instrument or substance used:

Maria rysuje ołówkiem, a jej brat maluje pędzlem.
Maria is drawing with a pencil and her brother is painting
with a paintbrush.

Nie lubię się myć zimną wodą.
I don't like washing with cold water.

Jan zdenerwował się i walnął ręką w stół.
Jan got annoyed and thumped his fist
(*lit.* hand) on the table.

(b) any means of transport employed:

Pojechaliśmy do znajomych samochodem.
We went to our friends by car.

**Nie ma tam gdzie zaparkować, więc
pojedziemy autobusem.**
There's nowhere to park there so we'll go by bus.

**Nie lubię podróżować samolotem.
Wolę jeździć pociągiem.**
I don't like travelling by plane.
I prefer to go by train.

- Like most case forms, the instrumental follows its fair share of
prepositions. In general, these are prepositions of location:

przed	in front of
nad	above/over
pod	under/below
między	between
za	behind/beyond

Spotkamy się przed kinem.
We'll meet in front of the cinema.

Jacek stał nad siostrą i zaglądał jej do zeszytu.
Jacek stood over his sister and peeked into her exercise book.

Nie widzę wielkiej różnicy między twoim piórem a moim.
I don't see much difference between your pen and mine.

Zostaw buty za drzwiami.
Leave your shoes behind the door.

These same prepositions are sometimes used to express movement
(in which case they follow verbs of motion). Where this is so, they

do not take the instrumental but the accusative case. As an example, compare:

Walizka jest pod stołem. (*instr.*)
The suitcase is under the table.

with

Wsunąłem walizkę pod stół. (*acc.*)
I slipped (your) suitcase under the table.

or:

Samochód stoi przed domem. (*instr.*)
The car is in front of the house.

with

Idę przed dom zobaczyć, czy listonosz nie przychodzi. (*acc.*)
I'm going out in front of the house to see whether
   the postman is (not) coming.

An exception is the preposition **z** which takes the instrumental case when it means 'together with', as in:

Jutro zobaczę się z moim bratem.
Tomorrow I'm going to see (meet with) my brother.

but the genitive case when it means 'from':

Jestem z Londynu.   I'm from London.

- A number of verbs take the instrumental case:

interesować się (I) (**czymś**) 'to be interested (in something)':
   Mój ojciec interesował się malarstwem.
   My father was interested in painting.

rządzić (II) (**czymś**) 'to rule (something)':
   Królowa Elżbieta rządzi Wielką Brytanią.
   Queen Elizabeth rules Great Britain.

opiekować (I) **się** (**czymś/kimś**) 'to look after/take care of (something/someone)':
   Ona się opiekowała starą ciotką przez długie lata.
   She took care of her old aunt for many years.

tęsknić (II) **za (czymś/kimś)** 'to miss (something/someone)':

Marta nie tęskniła za rodzicami, tylko za psem.
Marta didn't miss her parents but her dog.

- One particular use of the instrumental form may seem less logical to the English-speaking person than the other uses of the case. This is where it is used with the verb **być** to express profession, nationality or standing.

  On jest świetnym lekarzem.
  He's an excellent doctor.

  On jest Anglikiem a ona Polką.
  He's English (*lit.* an Englishman) and she's Polish (*lit.* a Polish woman).

Exercise 30

Answer the following questions using complete sentences.

e.g. Q. Czym on je zupę? (spoon)
   A. On je zupę łyżką.

1 Czym pan przyjechał? (taxi)
2 Gdzie zostawiła pani samochód? (house)
3 Z kim się jutro umówisz? (friend, *fem.*)
4 On przyleciał z Anglii, a kim on jest? (English doctor)
5 I czym on się interesuje? (modern art)
6 Gdzie postawiłaś zakupy? (on the shelf)
7 Czym się kroi wołowinę? (sharp knife)
8 Z kim i gdzie spotka się Maria? (fiancé, by [*lit.* under] university gate)
9 Gdzie stoi Kolumna Zygmunta? (in front of the Royal Castle)
10 Czym się płaci w Stanach? (dollars)

8.5 Commands and instructions

Polite commands and instructions are formed simply by putting the word **niech**, which means 'let' as in 'let him see', in front of the third person singular or plural present tense.

sing.	*pl.*	
niech przychodzi!	niech przychodzą!	come!
niech się ubiera!	niech się ubierają!	get dressed!
niech trzyma!	niech trzymają!	hold!

There are two particularly polite forms:

- **Niech** + **pan/pani/państwo** + third person

Niech pani siada.	Sit down, madam.
Niech pan wejdzie.	Come in, sir.

- **Proszę** (please) + infinitive

Proszę siąść.	Please sit.
Proszę nie palić.	Please don't smoke.
Proszę przeczytać ten artykuł.	Please read this article.

The familiar form of the imperative, or command, form – the second person singular – and the plural forms of both second and first persons are formed differently.

In most cases, in order to form the second person singular imperative, simply drop the final vowel of the third person singular tense. This also gives you the basis from which to construct the first and second persons plural. But do remember, when dropping the final vowel, that, at the end of a word:

dzi	becomes	**dź**
ni	becomes	**ń**
si	becomes	**ś**
zi	becomes	**ź**
ci	becomes	**ć**
r	becomes	**rz**

For example, the third person singular present tense of **chodzić** is **chodzi**. Drop the final **-i** and you have the second person singular imperative which is **chodź**!

Similarly:

Infinitive	3rd pers. sing. pres. tense	2nd pers. sing. imperative	
mówić	**mówi**	**mów!**	speak!
stać	**stoi**	**stój!**	stand!
myć się	**myje się**	**myj się!**	get washed!
ubierać się	**ubiera się**	**ubierz się!**	get dressed!

Unfortunately, most verbs ending in **-ać** are an exception to this rule and form the second person singular imperative by dropping the final letter of the third person <u>plural</u> present tense.

For example, the third person plural of **rozmawiać** is **rozmawiają**. Drop the final letter, **-ą**, and you have **rozmawiaj**!

Similarly:

Infinitive	3rd pers. plur. pres. tense	2nd pers. plur. imperative	
słuchać	słuchają	słuchaj!	listen!
czytać	czytają	czytaj!	read!
dawać	dają	daj!	give!
trzymać	trzymają	trzymaj!	hold!

To form the first person plural add **-my** to the second person singular imperative, which you have just learnt.

2nd pers. sing. imperative	1st pers. pl. imperative	
mów!	mówmy!	let's speak!
myj się!	myjmy się!	let's get washed!
stój!	stójmy!	let's stand!
ubieraj się!	ubierajmy się!	let's get dressed!
daj!	dajmy!	let's give!
czytaj!	czytajmy!	let's read!

And to form the second person plural imperative, merely add **-cie** to your second person singular imperative:

mów – mówcie!	speak!
myj się! – myjcie się!	get washed!
słuchaj! – słuchajcie!	listen!
trzymaj! – trzymajcie!	hold!

NOTE: **Mieć**(to have) is irregular and the imperatives are as follows:

2nd pers. sing.	**miej!**
1st pers. pl.	**miejmy!**
2nd pers. pl.	**miejcie!**

In Polish, an imperative can be formed from both imperfective and perfective verbs, depending on whether the action is continuous or to be completed (see section 5.2).

Compare: **Niech pan się ubiera.**
where the action is continuous
with: **Niech pan się ubierze.**
where the action of dressing is understood as being complete in the future.
Compare: **Niech pani trzyma.**
where the action is continuous

with: **Niech pani potrzyma.**
where the action will be completed. The 'holding' is only for a while.

Direct orders or instructions (as seen on official notices, and so on) are frequently expressed by the infinitive only:

Nie wychylać się!	Do not lean out!
Nie palić!	No smoking.
Nie pluć!	Do not spit!
Czekać!	Wait!

VOCABULARY

biologia	biology
brama	gate
chemia	chemistry
córeczka	little daughter
częstować (I) **się, poczęstować** (I) **się**	to help oneself
dowiadywać (I) **się, dowiedzieć** (IV) **się**	to find out
fizyka	physics
francuski	French
grać (III), **zagrać** (III)	to play, be on (film etc.)
język	language
krótkotrwały	shortlasting
mandat	fine
marzenie	dream
marzyć (II) **o czymś**	to dream of something (want very much)
matematyka	mathematics
niemiecki	German
niż	than
odechciewać (III) **się, odechcieć** (I) **się**	to stop liking, wanting
parkować (I), **zaparkować** (I)	to park
pędzić (II), **popędzić** (II)	to rush, hurry
potrzebny	needed
przyjaciółka	female friend
randka	rendezvous
ratusz	town hall
raz: na razie	at the moment
słaby	weak
studium	study
torba	bag
włoski	Italian
wybierać (III), **wybrać** (I)	to choose

zamawiać (III), **zamówić** (II)	to order, reserve
zgniły	rotten

Exercise 31

Translate into Polish:

1 Go home! (*fam. sing.*)
2 Please order your dinner. (*pol.*)
3 Put that bag under the table! (*fam. sing.*)
4 Don't be late! (*fam. pl.*)
5 Do help yourself. (*pol. to woman, sing.*)
6 Do choose the wine. (*pol. to men, pl.*)
7 Eat your soup with a large spoon, not a small one! (*fam. sing.*)
8 Don't buy those tomatoes, they're rotten. (*pol. to woman, sing.*)
9 Listen to what's said (says itself) to you! (*fam. sing.*)
10 No parking in front of gate.

Eat your soup with a large spoon...

CONVERSATION

Randka

Jerzy	Kim chciałaś zostać, kiedy byłaś dzieckiem?
Marta	Kiedyś marzyłam o tym, żeby być lekarką.
Jerzy	To bardzo piękny, ale ciężki zawód.
Marta	No tak, i to marzenie było krótkotrwałe. Jak tylko dowiedziałam się, że na studia potrzebna jest nie tylko biologia i chemia, ale i fizyka i matematyka, to odechciało mi się. Zupełnie zmieniłam kierunek.
Jerzy	I teraz jesteś profesorką francuskiego?
Marta	Nie, nie jestem profesorką, ale mówię po francusku, po angielsku i po włosku.
Jerzy	I po niemiecku?
Marta	Po niemiecku na razie bardzo słabo. Więcej rozumiem, niż mówię. Niemiecki jest bardzo trudnym językiem.
Jerzy	Słuchaj, może pójdziesz ze mną do kina?
Marta	Kiedy?
Jerzy	Dzisiaj wieczorem?
Marta	Dzisiaj nie mogę. Opiekuję się córeczką mojej przyjaciółki.
Jerzy	To jutro.
Marta	Jutro mogę. Ale czy grają coś ciekawego?
Jerzy	Wiesz, że nawet nie wiem. Poczekaj, spojrzę do gazety ... Niestety, same stare filmy, które już widziałem. Nieciekawe. To pójdźmy na kolację. Zapraszam cię.
Marta	Dziękuję. Ale słuchaj, przyszło mi do głowy, że jutro długo pracuję i nie mogę się spotkać z tobą przed ósmą.
Jerzy	Nie szkodzi. Spotkajmy się o ósmej przed ratuszem ... Powiedz mi, jak przyjechałaś?
Marta	Tu?
Jerzy	Tu.
Marta	No, samochodem.
Jerzy	Tak myślałem. Białym Citroënem?
Marta	Tak.
Jerzy	To pędź! Bo zaraz będziesz musiała płacić mandat! Idzie policjant, a zaparkowałaś przed bramą z napisem: NIE PARKOWAĆ!
Marta	Do jutra!

TRANSLATION

A Date

Jerzy	What did you want to be when you were a child?
Marta	I once dreamed of being a doctor.
Jerzy	That's a very beautiful but hard profession.
Marta	Yes, and that dream was shortlived. As soon as I found out that you need not only biology and chemistry but also physics and maths for the studies, it put me off. I completely changed direction.
Jerzy	And now you're a French professor?
Marta	No, I'm not a professor but I do speak French, English and Italian.
Jerzy	And German?
Marta	Only a little German at present. I understand more than I speak. German is a very difficult language.
Jerzy	Listen, how about going to the cinema with me?
Marta	When?
Jerzy	This evening?
Marta	I can't today. I'm looking after my friend's little girl.
Jerzy	Tomorrow then.
Marta	Tomorrow I can. But is there anything interesting on?
Jerzy	Do you know, I don't even know. Wait, I'll have a look in the paper ... Only old films which I've already seen unfortunately. They're not interesting. Let's go for dinner then. It'll be on me (*lit.* I invite you).
Marta	Thank you. But listen, it's occurred to me that I work late tomorrow and can't meet you before eight.
Jerzy	Doesn't matter. We'll meet at eight in front of the town hall ... Tell me, how did you come?
Marta	Here?
Jerzy	Here.
Marta	Well, by car.
Jerzy	That's what I thought. A white Citroën?
Marta	Yes.
Jerzy	Rush off then! Because you'll have to pay a fine in a minute! A policeman's coming and you've parked in front of a gate with a NO PARKING sign!
Marta	See you tomorrow!

Lesson 9

9.1 The conditional tense

The notion of the conditional tense is much the same in Polish as it is in English. As the name suggests, conditional verbs are those that are governed by conditions and whose action, therefore, may or may not come to be. They correspond to the sense of 'I would', 'you would', etc. and are generally associated with 'if' or a similar word. Very rarely, if ever, do they stand alone.

To form the conditional tense add:

-bym	**-byśmy**
-byś	**-byście**
-by	**-by**

to the appropriate gender past tense form of the third person.

For example: the third person masculine singular past tense of **czytać** (to read) is **czytał**. Add the above singular endings and you have the masculine singular conditional:

czytałbym
czytałbyś
czytałby

The third person masculine plural past tense is **czytali**. Add the above plural endings and you have the masculine plural conditional:

czytalibyśmy
czytalibyście
czytaliby

Similarly, the third person feminine singular past tense of **śpiewać** (to sing) is **śpiewała**. Therefore the feminine singular conditional is:

śpiewałabym
śpiewałabyś
śpiewałaby

The third person feminine plural past tense is **śpiewały** and so the feminine plural conditional is:

śpiewałybyśmy
śpiewałybyście
śpiewałyby

The third person neuter singular past tense of **chodzić** (to walk) is **chodziło**. The singular conditional is, therefore, **chodziłoby**. But of course there is no first or second person neuter.

Remember, there are only two forms of the plural – Men Only (which takes the masculine ending) and All Others (which takes the feminine ending.)

(**Chodzić o coś** conveys the idea of 'to be a question of something' but can be variously translated according to the context. For example, **chodziło o to, żeby się nie spóźnić** can be translated as 'it was a question of not being late' while **nie rozumiem o co ci chodzi** means 'I don't understand what you mean'. You might well come across this expression as it is frequently used, so it is worth learning.)

The conditional can be formed from both imperfective and perfective verbs.

VOCABULARY

cały	whole
denerwować (I) **się, zdenerwować** (I) **się**	get flustered, annoyed
dopiero	not before, not until
dziewczynka	little girl
galeria	gallery
garnitur	suit
głos	voice
minuta	minute
otwierać (III), **otworzyć** (II) **się**	to open
pies	dog
plakat	poster
przyszły	next
senny	sleepy
sernik	cheesecake
słynny	famous
spoglądać (III), **spojrzeć** (II)	to glance
sympatyczny	pleasant
śmiać (I) **się, uśmiać** (I) **się**	to laugh
telefon	telephone

współczesny	contemporary
zamknięty	closed
zrobić (II) **się (komuś) głupio**	to feel foolish about (something)

Exercise 32

Put the verbs into the conditional tense and translate:

1 Kupię tę angielską książkę. (*fem.*)
2 Piotr popędził do sklepu.
3 Przyjedziemy taksówką. (*fem.*)
4 Włożył garnitur.
5 Nareszcie nas zaproszą. (*masc.*)
6 Poczęstuje się.
7 Wpłaciłem twoje pieniądze.
8 Miałam ochotę na sernik.
9 Umówimy się. (*fem.*)
10 Porozmawiamy. (*men*)

9.2 Vocative case

At last, we've come to the last case, the vocative, and it is easy to learn! The vocative case is used when you are calling or directly addressing someone, as in the sentence: 'Martha, come here!', or in letters.

● **Singular nouns**

(a) Vocative singular <u>masculine nouns</u> have the same endings as the locative.

Chodź tu, psie!	Come here, dog!
Drogi Antku	Dear Antek
Panie doktorze	Doctor

The exception:

Bóg – Boże

However, masculine nouns ending in **-iec** drop this ending to replace it with **-cze**:

chłopiec – chłopcze	boy
młodzieniec – młodzieńcze	youth

(Note the softening of the **n** to **ń**.)

(b) Vocative singular <u>feminine nouns</u> replace the final **-a** of the nominative singular with either **-o** or **-u**.

-o is used following a hard or hardened consonant. A few feminine nouns ending in a soft consonant, **k** or **g** also take **-o**:

matka – matko!   mother

-u follows most soft consonants and is generally used in diminutive names:

Marysia – Marysiu!

The vocative of nouns ending in **-i** is the same as the nominative:

pani – pani!

● **Plural nouns**

Vocative plural nouns have the same endings as the nominative plural:

Słuchajcie, panowie!   Listen, gentlemen!
Słuchajcie, panie!   Listen, ladies!

You'll be pleased to hear that in colloquial Polish the vocative is frequently replaced by the nominative.

Exercise 33

Put the following into the vocative:

1 kot
2 dziewczyna
3 kobieta
4 Jan
5 Jurek
6 koń
7 wujek
8 synowie
9 siostry

9.3 Personal pronouns, 'pan', 'pani', 'państwo': summary

Now that we have all the cases, here is a summary of personal pronouns and of **pan** etc.

	1st person		*2nd person*	
	Sing.	*Pl.*	*Sing.*	*Pl.*
N.	ja	my	ty	wy
A.	mnie, mię	nas	ciebie, cię	was
G.	mnie	nas	ciebie	was
D.	mnie, mi	nam	tobie, ci	wam
I.	mną	nami	tobą	wami
L.	mnie	nas	tobie	was

Third person singular

	he	*she*	*it*
N.	on	ona	ono
A.	jego, go, niego	ją, nią	je, nie
G.	jego, go, niego	jej, niej	jego, go, niego
D.	jemu, mu, niemu	jej, niej	jemu, mu, niemu
I.	nim	nią	nim
L.	nim	niej	nim

Third person plural   *Reflexive*

	Men Only	*All Others*	
N.	oni	one	–
A.	ich, nich	je, nie	się
G.	ich, nich	ich, nich	siebie
D.	im, nim	im, nim	sobie
I.	nimi	nimi	sobą
L.	nich	nich	sobie

The forms **jego**, **jemu**, **ciebie**, **tobie** are used when the accent falls on the pronoun.

Dałem pióro tobie, a nie jemu.
I gave the pen to you and not him.

Poprosiłem ciebie, a nie jego.
I asked you and not him.

Otherwise the shortened forms – **go**, **mu**, **mi**, **mię**, **ci**, **cię**, etc. – are used:

Widziałam go, jak robił zakupy.
I saw him doing the shopping.
(Here the accent falls on the verb.)

136

Similarly:
Poproszę cię jak zajdzie potrzeba.
I'll ask you when the need arises.

And here is a summary of the forms of **pan** etc.:

	Masculine	*Feminine*	*Mixed*
Singular			
N.	pan	pani	państwo
A.	pana	panią	państwo
G.	pana	pani	państwa
D.	panu	pani	państwu
I.	panem	panią	państwem
L.	panu	pani	państwie
Plural			
N.	panowie	panie	
A.	panów	panie	
G.	panów	pań	
D.	panom	paniom	
I.	panami	paniami	
L.	panach	paniach	

Exercise 34

Translate into English:

Bardzo chciałem pójść na wystawę słynnego malarza. Wystawa przyjechała z Anglii, ale malarz jest Francuzem. Zawsze interesowałem się jego pracami, więc jak tylko dowiedziałem się, że w Zachęcie będzie wystawa, umówiłem się z kolegą. Pomyślałem, że sympatycznie byłoby pójść razem z Jurkiem, ponieważ on też interesuje się współczesną sztuką, więc umówiłem się z nim na wtorek. W poniedziałki muzea i galerie są zamknięte. Umówiliśmy się na dziesiątą przed galerią, bo gdyby padało, to nie musielibyśmy daleko iść. Czekałem na Jurka dziesięć minut, dwadzieścia, pół godziny. Nie przychodził. Zdenerwowałem się. Podszedłem do telefonu i zadzwoniłem do niego. Był w domu. Spał. Nakrzyczałem na niego. A on sennym głosem odpowiedział mi: 'Przecież umówiliśmy się na przyszły wtorek. Dzisiaj jest siódmego, a wystawa otwiera się dopiero czternastego.' Głupio mi się zrobiło. Trzeba mi było spojrzeć na plakat. Przecież stałem przed galerią całe pół godziny. Serdecznie przeprosiłem kolegę, który się ze mnie długo śmiał.

VOCABULARY

barszcz	beetroot soup
biały	white
bulion	consommé
burak	beetroot
cielę	calf
(**kotlet**) **cielęcy**	veal (cutlet)
czysty	clean, clear
danie	dish, course
dzik	wild boar
gazowana (woda)	sparkling (water)
golonka	pig's hock
kapusta	cabbage
karta	card (*often refers to menu or wine list*)
kelner	waiter
kołdun	meat ravioli (*often served in soup*)
kotlet	chop, cutlet
menu	menu
nieprzyzwoity	indecent, immodest
pasztecik	savoury pastry
pieczeń	roast
przerażać (III), **przerazić** (II)	to horrify
przyjemność	pleasure, enjoyment
przystawka	hors d'oeuvre
schab	pork loin
spory	quite large
śmietana	sour cream
talerz	plate
urozmaicony	varied
wątróbka	liver
węgierski	Hungarian (*adj.*)
wieprzowy	pork (*adj.*)
wołowy	beef (*adj.*)
wytrawny	dry (*as opposed to sweet*)
znosić (II), **znieść** (I)	to tolerate
żartować (I), **zażartować** (I)	to joke

CONVERSATION

Zamawiamy kolację

Marta   Piękna restauracja. Nigdy tu jeszcze nie byłam.

Jerzy   Owszem, ładnie tu i bardzo smacznie dają jeść. Wybrałaś?

Marta	Nie, jeszcze nie. Menu jest tak urozmaicone . . . Nie potrafię się zdecydować. A co ty bierzesz?
Jerzy	Ja chyba wezmę bulion z kołdunami na początek. A potem . . .
Marta	Barszcz ukraiński. Jaki to jest?
Jerzy	Biały. Ze śmietaną.
Marta	Nie, to ja wezmę zwyczajny barszcz. Czysty z pasztecikiem. A potem . . . A ty?
Jerzy	Może golonkę . . .
Marta	Poważnie?! To jest nieprzyzwoicie wielkie danie. Zawsze mnie talerz z golonką przerażał!
Jerzy	Żartuję! Nie martw się. Nie potrafiłbym zjeść czegoś takiego. No, zdecydowałaś się?
Marta	Nie . . . Zapytam się kelnera. Proszę pana! Co by pan polecił? Pieczeń z dzika czy kotlety schabowe?
Kelner	Niestety, pieczeni z dzika nie ma. Ale kotlety, proszę pani, są bardzo świeże.
Marta	To poproszę schabowego z kapustą i kartoflami.
Kelner	A dla pana?
Marta	Golonkę!
Jerzy	Nie, dla mnie wątróbki cielęce z burakami i kartoflami.
Kelner	A przystawki?
Jerzy	A no tak. Dla pani barszcz czerwony z pasztecikiem, a dla mnie bulion z kołdunami. I po jednej czystej poprosimy.
Marta	Ja dziękuję za wódkę.* Napiję się wina do drugiego dania.
Jerzy	Jakie państwo macie wina?
Kelner	Zaraz dam panu kartę . . . Proszę. Jak pan widzi, mamy spory wybór.
Marta	Ja bym się z przyjemnością napiła jakiegoś węgierskiego.
Jerzy	Białe czy czerwone?
Marta	Czerwone. I wytrawne, oczywiście. O, i dużą butelkę wody mineralnej poproszę.
Kelner	Gazowaną czy nie?
Marta	Gazowaną poproszę.
Kelner	Już przynoszę.
Marta	Lubię jeść, ale nie znoszę zamawiać!

*Dziękuję can mean either dziękuję nie or dziękuję tak. The tone of voice will tell you which is meant. As also, perhaps, a shake of the head!

TRANSLATION

Ordering dinner

Marta	It's a beautiful restaurant. I've never been here before.
Jerzy	Yes, it is pretty and they serve very good food. Have you chosen?
Marta	No, not yet. The menu's so big ... I can't decide. What are you having (*lit.* taking)?
Jerzy	I think I'll have consommé with ravioli as a starter. And then ...
Marta	Ukrainian borsch. What's that like?
Jerzy	White. With sour cream.
Marta	No, I'll have ordinary borsch. A clear one, with a savoury pastry. And then ... And you?
Jerzy	Perhaps I'll have pig's hock ...
Marta	Seriously?! That's indecently huge. A plate full of pig's hock has always horrified me!
Jerzy	I'm joking! Don't worry. I wouldn't be able to eat anything like that. Well, have you decided?
Marta	No ... I'll ask the waiter. Waiter! What would you recommend? Roast boar or pork cutlets?
Waiter	I'm afraid we're out of roast boar. But the cutlets are very fresh.
Marta	Then I'll have pork with cabbage and potatoes.
Waiter	And you, sir?
Marta	Pig's hock!
Jerzy	No. I'll have calves' liver with beetroot and potatoes.
Waiter	Any starter?
Jerzy	Oh, yes. Red borsch with a savoury pastry for the lady and consommé with ravioli for me. And a shot of vodka each, please.
Marta	No vodka for me, thank you. I'll have a glass of wine with my main course.
Jerzy	What wines do you have?
Waiter	I'll just give you the wine list ... Here you are. As you can see, we've got quite a choice.
Marta	I'd like a Hungarian (wine).
Jerzy	White or red?
Marta	Red. And dry, of course. Oh, and a large bottle of mineral water, please.
Waiter	Sparkling or still?
Marta	Sparkling, please.
Waiter	I'll just bring it for you.
Marta	I like eating but I can't bear ordering!

Lesson 10

10.1 Expressions of time

● **Adverbs and phrases of time**

Here are some useful adverbs and phrases relating to the present time:

teraz	now
w tej chwili	at this moment
dziś	today
w tym tygodniu	this week
w tym miesiącu	this month
w tym roku	this year
właśnie	just
dopiero co	only just

Musimy się spotkać w tym tygodniu.
We must meet this week.

Właśnie usiadłem.
I've just sat down.

Dopiero co przyszedłem.
I've only just arrived.

These refer to the future:

zaraz	presently, shortly
potem	then
jutro	tomorrow
za chwilę	in a moment
za dwie godziny	in two hours
za miesiąc	in a month
pojutrze	the day after tomorrow
w przyszłym tygodniu	next week
w przyszłym miesiącu	next month
w przyszłym roku	next year

W przyszłym roku pojadę do Londynu.
Next year, I'll go to London.

Oni mają przyjść za dwie godziny.
They're supposed to come in two hours.

And these refer to the past:

wczoraj	yesterday
przedtem	before
dawniej	formerly, in the past
przedwczoraj	the day before yesterday
przed godziną	an hour ago
przed tygodniem	a week ago
przed rokiem	a year ago
w zeszłym tygodniu	last week
w zeszłym miesiącu	last month
w zeszłym roku	last year
dwa miesiące temu	two months ago
rok temu	a year ago
dwa lata temu	two years ago

Dawniej pijałam dużo kawy, a teraz piję tylko herbatę.
I used (*lit.* in the past) to drink a lot of coffee but now I drink
only tea.

Widzieliśmy się przed rokiem/rok temu.
We saw each other a year ago.

● **Prepositions of time**

Where action is simultaneous to another event:

podczas + *gen.* ⎫
w czasie + *gen.* ⎭ during
przed + *instr.*   before
po + *loc.*   after

Podczas twojej nieobecności poszłam dwa razy do kina.
During your absence I went to the cinema twice.

Jan ziewał w czasie lekcji angielskiego.
Jan yawned during the English lesson.

Przed wstaniem od stołu należy podziękować.
Before leaving the table one ought to say 'Thank you'.

Zazwyczaj po kolacji czytam książkę.
After supper I usually read a book.

- **Time of day**

o świcie	at dawn
świt	dawn
nad ranem	towards morning
rano	in the morning
przed południem	before noon, a.m.
w południe	at noon
po południu	in the afternoon, p.m.
o zmierzchu	at dusk
zmierzch	dusk
wieczorem	in the evening
w nocy	in the night, at night
nocą	at night
o północy	at midnight

- **Days, dates and seasons**

w/we + *acc.*   on (. . . day)
w/we + *loc.*   in (month)

w poniedziałek	on Monday
we wtorek	on Tuesday
w środę	on Wednesday
w czwartek	on Thursday
w piątek	on Friday
w sobotę	on Saturday
w niedzielę	on Sunday
w styczniu	in January
w marcu	in March
we wrześniu	in September

(**We** is used before words beginning with **w**.)

Remember that dates are all in the genitive.

Którego jest dzisiaj?
Którego mamy dzisiaj? } What's the date today?

Trzydziestego pierwszego lipca tysiąc dziewięćset dziewięćdziesiątego trzeciego roku
– **31 lipca 1993r**
– 31 July 1993

na wiosnę (wiosną)	in spring
w lecie (latem)	in summer

na jesień (jesienią)	in autumn
w zimie (zimą)	in winter

10.2 Clock time

Która jest godzina?   What is the time?

The 24-hour clock is used far more frequently in Poland than it is in England. This is especially true of timetables, TV and radio programmes. In clock time, the hours are given as ordinal numbers, and the minutes are cardinal numbers.

trzynasta trzydzieści	13.30/1.30 p.m.

● **Time to the hour**

za + *acc.* (minutes) + *nom.* (hour)

za dziesięć (minut) siódma	6.50
za pięć (minut) dziesiąta	9.55
za kwadrans czwarta	3.45
za piętnaście czwarta	3.45
za kwadrans dwunasta	11.45
za piętnaście dwunasta	11.45

do + *gen.*

wpół do	'half to'
wpół do ósmej **o wpół do ósmej**	7.30
wpół do jedenastej **o wpół do jedenastej**	10.30

● **Time past the hour**

po + *loc.*

dziesięć (minut) po ósmej	8.10
dwadzieścia (minut) po jedenastej	11.20
kwadrans po dwunastej	12.15
piętnaście po dwunastej	12.15
kwadrans po piątej	5.15
piętnaście po piątej	5.15

- **Prepositions with clock time**

  o + *loc.* 'at'

  Film rozpoczyna się o (godzinie) siódmej.
  The film starts at seven.

  po + *loc.* 'after'

  Spotkajmy się po ósmej.   Let's meet after eight.

  przed + *instr.* 'before'

  Nie będę wolna przed dziewiątą wieczorem.
  I shan't be free before nine in the evening.

  między + *instr.* ... **a** + *instr.* ... 'between ... and ...'

  Będę w bibliotece między dziesiątą a dwunastą.
  I'll be in the library between ten and twelve.

  od + *gen.* ... **do** + *gen.* ... 'from ... to ...'

  **Sklep jest otwarty od dziewiątej rano do piątej
  po południu.**
  The shop is open from nine in the morning to five
  in the afternoon.

Exercise 35

Kiedy się spotkamy?

e.g. 13 December.
   Trzynastego grudnia.

1 Next June.
2 At eight on Tuesday.
3 Tomorrow at half past ten.
4 In three weeks' time.
5 Next Thursday at a quarter to three in the afternoon.
6 In a moment.
7 Today, at a quarter past nine in the evening.
8 During the lecture.
9 This Wednesday between half past three and five.
10 Next year in October.

Exercise 36

Która jest godzina?

Exercise 37

Którego jest dzisiaj?

1	31.VII.1992	6	3.III.1706
2	20.VIII.1991	7	1.II.1516
3	16.IV.1980	8	11.XI.1911
4	12.IX.1976	9	24.XII.1994
5	5.XI.1885	10	7.VI.1995

10.3 Adverbial phrases of time

Here are some more useful adverbial phrases to enrich your vocabulary:

● **Expressions denoting duration**

Jak długo?   How long?

(a) There is no preposition but the time expressed is in the accusative case.

Mieszkałem w Londynie cztery lata.
I lived in London for four years.

Pracowałem cały dzień.
I worked (for) the whole day.

(b) The preposition **przez** and the accusative case.

> **Mieszkałam w Warszawie przez trzy miesiące.**
> I lived in Warsaw for three months.

> **Pracowałam przez cały wieczór.**
> I worked the entire evening.

(c) Or, using no preposition, put the time expressed into the plural of the instrumental case.

> **Nie spałem całymi nocami.**
> I didn't sleep entire nights.

> **Pracowałyśmy dniami a nocami spałyśmy.**
> We worked during the days and slept during the nights.

Na jak długo? For how long?
na + *accusative*

> **Oni wyjechali do Francji na dwa tygodnie.**
> They went to France for two weeks.

> **Pożyczyłam książkę na dziesięć dni.**
> I borrowed the book for ten days.

- **Expressions of 'by when' something is done**

  na + *acc.* for
  do + *gen.* by

  > **Kolacja będzie gotowa na siódmą.**
  > Supper will be ready for seven (o'clock).

  > **Muszę przeczytać tę książkę do wtorku.**
  > I have to read this book by Tuesday.

- **Expressions of frequency**

  Jak często? How often?

  na + *acc.*
  w + *loc.*
  co + *nom.*
  co + *gen.*
  co + *acc.*

  Tomasz pije kawę dwa razy dziennie.
  Tomasz drinks coffee twice a day.

Widujemy się raz na miesiąc.
We see each other once a month.

Chodzę do kina przynajmniej raz w tygodniu.
I go to the cinema at least once a week.

Patrzałam co chwila na zegarek. (*nom.*)
I kept looking at my watch (*lit.* every moment).

Co roku jeżdżą do Francji. (*gen.*)
They go to France every year.

Co chwilę chciało mu się ziewać. (*acc.*)
He kept on (*lit.* every moment) wanting to yawn.

- **Prepositions denoting speed**

Jak szybko?   How fast?

w + *acc.* in
w ciągu/w przeciągu + *gen.* within

Nauczył się mówić po polsku w trzy miesiące.
He learnt to speak Polish in three months.

Oddaj mi książkę w ciągu miesiąca, proszę.
Please give me back my book within a month.

The use of **na** + *acc.* is idiomatic:

Samochód pędził 120 kilometrów na godzinę.
The car sped along at 120 kilometres an hour.

Exercise 38

Reply to the following questions using the suggested answers.

e.g. **Gdzie jest Marek?** (Jan)
  Marek jest u Jana.

1 Kiedy wystawa będzie czynna? (15th February to 26th March)
2 Jak długo był bez pracy? (Entire months)
3 Jak często chodzi pan do banku? (Once a fortnight)
4 Jak długo trwał film? (3 hours)
5 Jak długo siedziała w domu? (4 days)
6 Jak szybko pan profesor musiał przygotować wykład? (2 days)
7 Kiedy będziesz gotowa? (10 o'clock)
8 Jak często pani kupuje świeże owoce? (Once a week)

9 Jak często Jurek chodzi na wykłady? (Every Thursday)
10 Do której można przyjść? (9 in the evening)

10.4 Prepositions of place (location)

Here are some useful words for saying where things or people are:

po + *loc* 'over/across' (surface)

Zakupy rozsypały się po podłodze.
The shopping scattered across the floor.

w + *loc*. 'in'

Pracuję w bibliotece.	I work in the library.
Śpię w łóżku.	I sleep in bed.
Zakupy są w koszyku.	The shopping's in the basket.

na + *loc*. 'at/in'

Spotkamy się na lotnisku.
We'll meet at the airport.

Oni mieszkają na wsi od lat.
They've been living in the country for years.

(The general rule, with exceptions of course, is:
w + *loc*. where the space is confined
na + *loc*. where the space is open.)

przed + *instr*. 'before/in front of'

Poczekam na ciebie przed kinem.
I'll wait for you in front of the cinema.

za + *instr*. 'beyond/behind'

Ciotka mieszka za granicą.
My aunt lives abroad (*lit.* beyond the border).

Krzesło stoi za stołem.
The chair's behind the table.

nad + *instr*. 'above/over'

Siedzę nad książką i męczę się.
I'm sitting over my book and suffering.

pod + *instr*. 'under'

Jan kopał Barbarę pod stołem.
Jan was kicking Barbara under the table.

przy + *loc.* 'at'

Pociąg do Krakowa stoi przy peronie czwartym.
The train to Cracow is standing at platform 4.

obok + *gen.* 'beside/next to'

Ratusz znajduje się obok biblioteki.
The town hall is next to the library.

koło + *gen.* 'near/next to'

Koło parku jest dobra kawiarnia.
There's a good cafe near the park.

And some specific locations:

beside water – **nad** + *instr.*

Stoi zamek nad Wisła.
The castle stands on the Vistula.

beside a town or city – **pod** + *instr.*

Mieszkamy pod Warszawą.
We live near Warsaw.

at/to someone's house/business (like French 'chez') – **u** + *gen.*

Spotkamy się na kolacji u wujka.
We'll meet for supper at my uncle's.

Byłam u dentysty, dlatego nie mogę się uśmiechać.
I've been to the dentist's, so I can't smile.

VOCABULARY

łazienka	bathroom
przyjmować (I), **przyjąć** (I)	to entertain, accept
pudełko	box
ręcznik	towel
stacja	station
sypialnia	bedroom
szpital	hospital
wieszać (III), **powiesić** (II)	to hang

Exercise 39

Reply to the following questions using the suggested answers:

1 Gdzie oni są? (Jurek – here; Marysia – bedroom)
2 Gdzie widziałeś kwiaty? (by the river)

3 Gdzie jest ten sklep, o którym pan mówił? (by the little station near Łódź)

4 Gdzie schowałeś list od Marka? (in my bag under the table)

5 Gdzie mam postawić zakupy? (here)

6 Gdzie będziesz o szóstej? (doctor's)

7 A gdzie on przyjmuje? (hospital near Cracow)

8 Czy widziałaś mój ręcznik? (hanging – door – bathroom)

9 Gdzie się państwo zatrzymują? (hotel near town hall)

10 Gdzie są moje pieniądze? (box on desk)

10.5 Expressions of place (movement)

Here are some useful expressions that describe where something/someone is moving to.

● **Movement away from – skąd?**

stąd	from here
stamtąd	from there
z + *gen*	from (a place)
od + *gen*.	from (a person)
znad + *gen*.	from (water)
spod + *gen*.	from (near a place)

Przyjechałam z Londynu.
I've come from London.

Przyszedłem prosto od lekarza.
I've come straight from the doctor's.

Wracamy znad morza.
We're coming back from the sea.

Pochodzą spod Krakowa.
They come from near Cracow.

● **Movement towards – dokąd? gdzie?**

tu	here
tutaj	here
tam	there

do + *gen*. (mostly towns, cities and countries –
        do Warszawy, do Londynu, do Krakowa,
        do Edynburga, do Francji ...)

W tym roku zdecydowaliśmy się pojechać do Anglii.
This year we've decided to go to England.

na, nad + *acc.* (mostly regions, districts –
        na Pragę [district of Warsaw] but
        do Pragi [Czech capital] –
        or open spaces – **na pole, na balkon, na łąkę.**)

Obiecałam spotkać Michała na lotnisku.
I promised to meet Michael at the airport.

W tym roku pojechali nad morze.
This year they went to the seaside.

- **Movement through, across – którędy?**

| **tędy** | this way |
| **tamtędy** | that way |

przez + *acc.* – through, across

Tylko przejeżdżałam przez Kraków. Nie znam go.
I only passed through Cracow. I don't know it.

Uważaj, jak będziesz jechał przez most.
Be careful when you cross the bridge.
    (*lit.* drive across the bridge)

między + *instr.* – between, among

Spacerowali sobie między drzewami.
They went for a walk among the trees.

Using no preposition, just put the place described into the
instrumental case. This usually applies to roads, paths, etc.

Szli ścieżką.
They walked along the path (*lit.* using the path)

- **Movement in various directions**

po + *loc.*

Myszka biegała po pokoju.
The mouse ran around the room.

Bardzo lubię spacerować po lesie.
I very much like going for walks in the woods.

VOCABULARY

autostrada	motorway
balkon	balcony
bliziutko	very near
dawny	former, old
dobę	24 hours
za dobę	for 24 hrs/per night
dopłata	supplement (charge)
ewentualnie	possibly
kilometr	kilometre
kręcić (II) się, pokręcić (II) się	to move about
lecieć (II), polecieć (II)	to fly
letni	summer (*adj.*)
małżeński	matrimonial
momencik	moment (*diminutive*)
oba	both
oddzwaniać (III), oddzwonić (II)	to call back (phone)
pędzić (II), popędzić (II)	to drive, rush
podawać (I), podać (III)	to hand over
podstawowy	basic
pojedynczy	single
połowa	half
popularny	popular
posiłek	meal
powodować (I), spowodować (I)	to cause
przerwa	interval, break
prysznic	shower
przygotowywać (I), przygotować (I)	to prepare
przyjmować (I), przyjąć (I)	to entertain, accept
pytanie	question
radzić (II), poradzić (II)	to advise
recenzja	review
recepcjonistka	receptionist
rodzina	family
sezon	season
tyle	so much, so many
udzielać (III), udzielić (II)	to give, impart
widok	view
wspominać (III), powspominać (III)	to remember, reminisce
wypadek	accident
zamierzać (III), zamierzyć (II)	to intend
zastanawiać (III) się, zastanowić (II) się	to think over
zbliżać (III) się, zbliżyć (II) się	to approach, get near
zwlekać (III), zwlec (I)	to procrastinate

Exercise 40

Translate:

1 As I (*masc.*) was flying from London to Warsaw, in the plane I met an old friend.

2 During the flight, we remembered old times and I learnt that Michael was going to be staying near Poznań from the 10th to the 15th of August.

3 Then he was to come to Warsaw and stay in the new Bristol Hotel near the Wizytki Church.

4 We arranged to meet in two weeks' time in some restaurant in the Old Town.

5 Now I've got to go to the library and read all the reviews although I don't like to sit in one place for so many hours.

6 When I finish reading, I'll take (do) a break, go for a walk in the park and then I'll read [for] the entire evening again.

7 The child moved around under the table between the legs.

8 Come and stay with me for three weeks in March. We'll go to the mountains.

9 Unfortunately I can't, because I've got to be in London from 3rd March until 16th June.

10 The car was speeding at 150 kilometres an hour and caused an accident on the motorway.

CONVERSATION

Zamawiamy hotel

Pan Milewski dzwoni do hotelu w Zakopanem.

Pan Milewski	Dzień dobry pani.
Recepcjonistka	Dzień dobry.
P. M.	Chciałbym wybrać się z rodziną do Zakopanego na dziesięć dni.
Rec.	I chciałby pan zarezerwować pokój w naszym hotelu?
P. M.	Ewentualnie (tak). A czy mogłaby pani udzielić mi trochę informacji?
Rec.	Słucham.
P. M.	Jest nas czworo i chcielibyśmy mieć dwa pokoje obok siebie. Jeden pokój z łóżkiem małżeńskim, a drugi z dwoma łóżkami pojedynczymi.
Rec.	A kiedy państwo zamierzają przyjechać?

P. M.	W połowie maja.
Rec.	Momencik. Zaraz spojrzę w książkę, czy mamy wolne pokoje. Wie pan, w maju już zbliża się sezon letni, a nasz hotel jest bardzo popularny. Momencik ... Halo?
P. M.	Tak, słucham.
Rec.	Owszem, są dwa pokoje.
P. M.	Z łazienką?
Rec.	Jeden z łazienką, a drugi z prysznicem.
P. M.	A który pokój jest z łazienką?
Rec.	Małżeński.
P. M.	Świetnie. Zdaje się, że wasz hotel jest usytuowany nie w samym Zakopanem ...
Rec.	Nie jesteśmy w samym mieście, ale wszystko jest bliziutko. I za to mamy piękne widoki. Z pańskich pokoi widać góry i oba pokoje mają balkony.
P. M.	A jak z posiłkami?
Rec.	Jest u nas bardzo dobra restauracja. Można zjeść śniadanie. Podajemy też obiady i kolacje.
P. M.	A teraz podstawowe pytanie. Ile kosztują pokoje?
Rec.	160 złotych, za dobę.
P. M.	Uhmmm. No dobrze, zastanowię się.
Rec.	Ale niech pan nie zwleka za długo. Bo jak mówię, zbliża się sezon letni a nasz hotel jest popularny.
P. M.	Aha, proszę pani, jeszcze jedno pytanie.
Rec.	Słucham.
P. M.	Mamy psa. Czy przyjmujecie zwierzęta?
Rec.	Owszem. Ale, niestety, z dopłatą 30 złotych.
P. M.	Dziękuję pani serdecznie. Poradzę się żony i pewnie oddzwonię.
Rec.	Dziękuję i do usłyszenia.

TRANSLATION

Booking a hotel

Mr Milewski phones a hotel in Zakopane.

Mr Milewski	Good morning.
Receptionist	Good morning.
Mr M.	I'd like to come to Zakopane with my family for ten days.
Rec.	And you'd like to book rooms in our hotel?

Mr M.	Possibly (yes). Could you give me some information please?
Rec.	Yes?
Mr M.	There are four of us and we'd like two rooms next to each other. One with a double bed and the other with twin beds.
Rec.	And when do you intend to come?
Mr M.	Mid-May.
Rec.	One moment, please. I'll just look in the book (to see) whether we have any rooms free. You know, May's almost the summer season and our hotel is very popular. One moment . . . Hello?
Mr M.	Yes, I'm here (*lit.* listening).
Rec.	Yes, two rooms are available.
Mr M.	With a bathroom?
Rec.	One with a bathroom, the other with a shower.
Mr M.	Which room has the bathroom?
Rec.	The one with the double bed.
Mr M.	Excellent. Your hotel isn't in Zakopane itself I believe . . .
Rec.	We're not right in the centre of town but everything is very near. And we've got wonderful views. You can see the mountains from your rooms and both rooms have a balcony.
Mr M.	And do you serve meals?
Rec.	We've got a very good restaurant. You can have breakfast and we serve lunch and supper.
Mr M.	And now for the basic question. How much are the rooms?
Rec.	160 zlotys a night.
Mr M.	Uhmmm. Well, I'll think about it.
Rec.	But don't take too long about it. As I said, the summer season's approaching and our hotel is popular.
Mr M.	Oh yes, there's another question.
Rec.	Yes?
Mr M.	We've got a dog. Do you take animals?
Rec.	We do. But unfortunately there is a supplement of 30 zlotys.
Mr M.	Thank you very much. I'll consult my wife and, no doubt, ring you back.
Rec.	Thank you and until then (*lit.* until I hear).

Lesson 11

11.1 Passive adjectival participles

To form the passive voice (see 11.2) you will need the passive adjectival participle – much like the past participle in English. To form it, take the stem of the verb and add the following endings. These correspond to adjectival endings and agree with the noun to which the participle refers.

- where the infinitive ends in -ać/-eć:

sing.	-any (*m.*)	pl.	-ani (*men only*)
	-ana (*f.*)		
	-ane (*n.*)		-ane (*all others*)

infinitive	passive adj. participle
pisać	pisany
napisać	napisany
śpiewać	śpiewany
zapomnieć★	zapomniany
sprzedać	sprzedany
używać	używany (to use, *imperf.*)

★The final -e- becomes an -a-.

- where the infinitive ends in -ić/-yć, -ść/-źć:

sing.	-ony	pl.	-eni
	-ona		
	-one		-one

infinitive	passive adj. participle	
kupić	kupiony	to buy
palić	palony	to smoke

- where the infinitive ends in -ąć/-nąć (the final -ą- becomes -ę):

sing.	-ięty	pl.	-ięci
	-ięta		
	-ięte		-ięte

infinitive	*passive adj. participle*	
pchnąć	**pchnięty**	to push
zająć	**zajęty**	to occupy
zamknąć	**zamknięty**	to close
ciąć	**cięty**	to cut

Inevitably, there are some irregular participles. Here are some of the more important ones:

| **użyć** | **użyty** | to use, *perf.* |
| **otwierać** | **otwarty** | to open, *imperf.* |

The passive adjectival participle can be formed from both imperfective and perfective verbs. Participles formed from imperfective verbs correspond to 'being' + past participle in English:

Książka jest czytana.   The book is being read.

Participles derived from perfective verbs are often used as adjectives in the same way as English past participles:

Znalazłem zgubiony but.   I found the lost shoe.

With an **-o** ending, the passive adjectival participle is used in an impersonal sense often translated by English active sentences with an impersonal 'they' as the subject (i.e. when it's not important who 'they' actually are) or by the passive in English. In this impersonal form the passive adjectival participle ends with **-o** rather than **-y**, **-a** or **-e**. For example:

Przeczytano wiele książek.
A lot of books were read.

Mówiono, że w Anglii zawsze pada deszcz. A to nieprawda.
They say it always rains in England. But that's not true.

11.2 The passive voice

In the example, 'Mary washed the dishes', the verb 'washed' is in the active voice. In the sentence, 'The dishes were washed by Mary', the verb is in the passive voice.

Forming the passive voice in Polish shouldn't cause you any difficulty. To the verb **być** (to be), simply add the passive adjectival participle of the perfective verb, remembering that the participle agrees with the subject.

Jestem zmęczony. (*masc. sing.*)
I'm tired.

Będziecie bardzo zadowoleni z waszego urlopu.
(*masc. or mixed pl.*)
You'll be very pleased with your holiday.

Obie siostry były czesane przez tego samego fryzjera.
(*fem. pl.*)
Both sisters had their hair done by the same hairdresser.

The passive is formed with either **być** or **zostać** (*lit.* to become).

Być is used when what is being emphasized is the state reached once the action is completed. **Zostać**, on the other hand, is used when the action itself is stressed. It is used in the formation of the passive voice only in the past or the future tense. For example:

Będę umyta.   I am going to be washed.
(I will be in a state of cleanliness, having been washed.)

Zostanę umyta.   I will be washed.
(Somebody will wash me.)

Past tense
    zostałem uczesany (zostałam uczesana)
    (I had my hair done [*lit.* combed]

    zostałeś uczesany (zostałaś uczesana)
    został uczesany (została uczesana; zostało uczesane)
    zostaliśmy uczesani (zostałyśmy uczesane)
    zostaliście uczesani (zostałyście uczesane)
    zostali uczesani (zostały uczesane)

Future tense
    zostanę uczesany (uczesana)
    zostaniesz uczesany (uczesana)
    zostanie uczesany (uczesana; uczesane)
    zostaniemy uczesani (uczesane)
    zostaniecie uczesani (uczesane)
    zostaną uczesani (uczesane)

The agent in a passive sentence is indicated by **przez** + *acc.*

Jerzy zostanie umyty przez matkę.
Jerzy will be washed by his mother.

VOCABULARY

Boże Narodzenie	Christmas
budować (I), **zbudować** (I)	to build
informować (I), **poinformować** (I)	to inform
kolęda	Christmas carol
nieznany	unknown
odwoływać (I), **odwołać** (III)	to call off, cancel
powieść	novel
prezes	president, chairperson
przedstawiać (III), **przedstawić** (II)	to present, introduce
przedstawienie	performance
przerwa	interval
telewizyjny	television (*adj.*)
toaleta	toilet
wiadomości	news
wieś	country; village
wybrany	elected
wymieniać (III), **wymienić** (II)	to change
wyrzucać (III), **wyrzucić** (II)	to throw out
zajęty	occupied, engaged
zarząd	management, board
zatrzymywać (I) **się, zatrzymać** (III) **się**	to stay, stop
znajomy	acquaintance

Exercise 41

Translate:

1 The letter was written by me.
2 Has he given back the borrowed book yet (*lit.* already)?
3 On Saturdays, dinner is made by Michael.
4 When we lived in the country, fruit was always bought on the market.
5 The toilet's occupied again!
6 I didn't know that novel. (*lit.* That novel was unknown to me.)
7 Carols are sung at Christmas.
8 There's no foreign exchange at this bank. (*lit.* In this bank currency is not changed.)
9 Our dinner's booked for eight o'clock. (*lit.* We have our dinner booked for eight.)
10 This is a film rarely seen (*lit.* watched).

Exercise 42

Translate into English:

1 Poinformowano go listownie, że został wyrzucony z pracy.
2 On będzie bardzo zmartwiony, jak się dowie, że nie przyjeżdżasz.
3 On na pewno zostanie wybrany prezesem zarządu.
4 Mieszkają w pięknym domu, który był zbudowany w tysiąc siedemset sześćdziesiątym roku.
5 Czy powiedziano panu o tym, że w niedziele nie latają samoloty?
6 Pociąg został zatrzymany między Gdańskiem a Gdynią.
7 I matka, i córka były badane przez tego samego lekarza/doktora.
8 Jutro przedstawienie zostanie odwołane.
9 Wczorajsze wiadomości telewizyjne były przedstawione przez mojego znajomego.
10 Podczas jego nieobecności zamordowano jego ciotkę.

11.3 More participles

There are three other participles which you may come across in Polish, though two of them are rarely used in everyday conversation, so you don't need to worry too much about learning them.

• Present adverbial participle

The most common of the participles (other than the passive adjectival) is the present adverbial participle, the equivalent of English expressions such as 'while ...ing'. The subject of the participle must be the same as the subject of the sentence. It is formed simply by taking the third person plural present tense of an imperfective verb and adding -c:

Idąc na zakupy, spotkałem kolegę.
As I was going shopping, I met a friend.

Czytając książkę, nauczysz się wielu ciekawych rzeczy.
Reading the book, you'll learn many interesting things.

Pijąc kawę, słuchałem radia.
Drinking coffee, I listened to the radio.

● The present adjectival participle

The present adjectival participle is, as you would expect, an adjective formed from the verb, the equivalent of e.g. 'crying' in 'the crying girl' (**płacząca dziewczynka**). It is formed from imperfective verbs by adding -**c** and normal adjectival endings to the third person plural present tense (in this case **płaczą**). In practice, though, most Poles are more likely to use a relative clause: **dziewczynka, która płacze**, 'the girl who is crying'.

● The past adverbial participle

The past adverbial participle is really only used in literary Polish. It consists of a perfective verb with its past tense endings replaced by -**wszy** after a vowel or -**łszy** after a consonant, and is the equivalent of English expressions such as 'having read' or 'after reading':

Przeczytawszy książkę odniosłam ją do biblioteki.
Having read the book, I took it back to the library.

For normal everyday Polish it is better to say something like the following:

Przeczytałam książkę i odniosłam ją do biblioteki.

or

Po przeczytaniu książki odniosłam ją do biblioteki.

or even more colloquially

Kiedy przeczytałam książkę, odniosłam ją do biblioteki.

VOCABULARY

bar	bar
cukier	sugar
dotyczyć (*impers. imperf.* II)	to concern
dźwigać (III), **dźwignąć** (I)	to carry, heave (heavy load)
głupstwo	nonsense, foolishness
kierować (I), **skierować** (I) (**kogoś**)	to lead, guide (someone)
kierownik	director, manager
klient	client
księgowy	accountant
las	wood, forest
mała czarna	small black (coffee), espresso
mylny	wrong, incorrect
nieporozumienie	misunderstanding

pertraktacje	negotiations
podatek	tax
potencjalny	potential
pożyczać (III), **pożyczyć** (II)	to lend, borrow
przedsiębiorstwo	business
przedstawiciel	representative
przeprowadzać (III), **przeprowadzić** (II)	to conduct, effect
rzadki	rare
sądzić (II), **osądzić** (II)	to judge, suppose
sekretarka	secretary
słownik	dictionary
spółka	partnership
sytuować (I), **usytuować** (I)	to place
tłumaczyć (II), **wytłumaczyć** (II)	to explain
układać (III), **ułożyć** (II)	to arrange
upijać (III) **się**, **upić** (I) **się**	to get drunk
warto	worth (worthwhile)
wąchać (III), **powąchać** (III) (*transitive*)	to smell
winda	lift, elevator
wizytówka	business card
wspólny	common
zanosić (II), **zanieść** (I)	to carry
zawracać (III), **zawrócić** (II) **komuś głowę**	to bother someone
zgłaszać (III) **się**, **zgłosić** (II) **się**	to present oneself
zostawiać (III), **zostawić** (II)	to leave

Exercise 43

Translate into Polish:

1 While arranging my books, I found the Polish–English dictionary.
2 Shouting, Jerzy ran after his friend.
3 Thinking about her husband, she forgot about her meeting with the professor.
4 Smelling the flowers, she took (*lit.* carried) them to her mother.
5 Counting the money, he went to the bank.
6 Don't forget (*m. fam.*) about Barbara when booking the theatre tickets.
7 He'll go to the lift, heaving his suitcase.
8 Looking at the exhibition, I thought that you'd (*fam.*) like it.
9 You're (*pl.*) certain to find some mushrooms when you go for a walk in the woods.

10 Sitting for two hours in the bar waiting for his fiancée, he got
   drunk.

CONVERSATION

Nieporozumienie

Sekretarka	Panie dyrektorze, zgłosił się do nas potencjalny klient.
Pan Kierownik	Zostawił wizytówkę?
Sekr.	Owszem. Proszę bardzo.
P. K.	Uhmm. Mr Slowman ... Jak pani sądzi, warto się z nim spotkać?
Sekr.	Nie wiem, panie dyrektorze. Mówi, że jest przedstawicielem nowego, ale ważnego przedsiębiorstwa.
P. K.	Jakiego?
Sekr.	Jest to spółka hotelowa. Mają już klientów w Czechach, na Węgrzech, no i teraz budują w Polsce.
P. K.	No dobrze, ale co to ma z nami wspólnego?
Sekr.	No, nie wiem. Pan Slowman chciał się z panem dyrektorem spotkać, ażeby przeprowadzić pertraktacje dotyczące reklamy na całą Polskę.
P. K.	Ale przecież co my mamy wspólnego z reklamą!? My się zajmujemy importem wina!
Sekr.	Też pomyślałam, że to coś nie tak, no ale. ...
P. K.	Pani Kasiu, niech mi pani nie zawraca głowy takimi głupstwami! Naprawdę nie mam czasu na takie nieporozumienia. I jak pan Slowman zadzwoni, to niech mu pani wytłumaczy, że go źle skierowano.
Sekr.	Serdecznie przepraszam, panie dyrektorze.
P. K.	No dobrze, to niech mi pani przyniesie przygotowane przez księgowego dokumenty, które dotyczą tych mylnych podatków ... I małą czarną, proszę.
Sekr.	Z cukrem?
P. K.	Bez.

TRANSLATION

A misunderstanding

Secretary	A potential client called us, sir.
Director	Did he leave his business card?
Sec.	Yes. Here it is.
Dir.	Uhmmm. Mr Slowman. ... What do you think, is it worth meeting him?
Sec.	I don't know, sir. He says that he's the representative of a new but important business.
Dir.	What business?
Sec.	A hotel partnership. They've already got clients in the Czech Republic, in Hungary, and now they want to build in Poland.
Dir.	That's all very well, but what's that got to do with us (*lit.* how does that concern us)?
Sec.	Well, I don't know. Mr Slowman wanted to meet you so as to negotiate advertising (*lit.* hold negotiations concerning advertising) in the whole of Poland.
Dir.	But what have we got to do with advertising? We deal with wine imports!
Sec.	I thought that it wasn't quite right, but ...
Dir.	Ms Kasia, don't bother me with such nonsense. I really don't have time for such misunderstandings. And when Mr Slowman phones, explain to him that he's been wrongly referred.
Sec.	I'm very sorry, sir.
Dir.	All right, so bring me the documents concerning those incorrect taxes which the accountant prepared ... And an espresso (small black), please.
Sec.	With sugar?
Dir.	Without.

Summary of case endings

Nominative	*Singular*	*Plural*
Masc. *person*	**mądry student** wise student **wysoki Anglik** tall Englishman **znany lekarz** well-known doctor	**mądrzy studenci** **wysocy Anglicy** **znani lekarze**
Masc. *animal*	**czarny koń** black horse **ciężki słoń** heavy elephant **szary kot** grey cat	**czarne konie** **ciężkie słonie** **szare koty**
Masc. *object*	**polski bank** Polish bank **okrągły stół** round table **mały park** small park	**polskie banki** **okrągłe stoły** **małe parki**
Feminine	**młoda kobieta** young woman **twoja ulica** your street **wielka ryba** huge fish **dobra córka** good daughter	**młode kobiety** **twoje ulice** **wielkie ryby** **dobre córki**
Neuter	**wysokie drzewo** tall tree **duże okno** large window **silne serce** strong heart	**wysokie drzewa** **duże okna** **silne serca**

Accusative	*Singular*	*Plural*
Masc. person	mądrego studenta wysokiego Anglika znanego lekarza	mądrych studentów wysokich Anglików znanych lekarzy
Masc. animal	czarnego konia ciężkiego słonia szarego kota	czarne konie ciężkie słonie szare koty
Masc. object	polski bank okrągły stół mały park	polskie banki okrągłe stoły małe parki
Feminine	młodą kobietę wielką rybę twoją ulicę dobrą córkę	młode kobiety wielkie ryby twoje ulice dobre córki
Neuter	wysokie drzewo duże okno silne serce	wysokie drzewa duże okna silne serca

Genitive	*Singular*	*Plural*
Masc. person	mądrego studenta wysokiego Anglika znanego lekarza	mądrych studentów wysokich Anglików znanych lekarzy
Masc. animal	czarnego konia ciężkiego słonia szarego kota	czarnych koni ciężkich słoni szarych kotów
Masc. object	polskiego banku okrągłego stołu małego parku	polskich banków okrągłych stołów małych parków
Feminine	młodej kobiety wielkej ryby twojej ulicy dobrej córki	młodych kobiet wielkich ryb twoich ulic dobrych córek
Neuter	wysokiego drzewa dużego okna silnego serca	wysokich drzew dużych okien silnych serc

Dative	*Singular*	*Plural*
Masc. *person*	mądremu studentowi wysokiemu Anglikowi znanemu lekarzowi	mądrym studentom wysokim Anglikom znanym lekarzom
Masc. *animal*	czarnemu koniowi ciężkiemu słoniowi szaremu kotu	czarnym koniom ciężkim słoniom szarym kotom
Masc. *object*	polskiemu bankowi okrągłemu stołowi małemu parkowi	polskim bankom okrągłym stołom małym parkom
Feminine	młodej kobiecie twojej ulicy wielkiej rybie dobrej córce	młodym kobietom twoim ulicom wielkim rybom dobrym córkom
Neuter	wysokiemu drzewu dużemu oknu silnemu sercu	wysokim drzewom dużym oknom silnym sercom

Locative	*Singular*	*Plural*
Masc. person	mądrym studencie wysokim Angliku znanym lekarzu	mądrych studentach wysokich Anglikach znanych lekarzach
Masc. animal	czarnym koniu ciężkim słoniu szarym kocie	czarnych koniach ciężkich słoniach szarych kotach
Masc. object	polskim banku okrągłym stole małym parku	polskich bankach okrągłych stołach małych parkach
Feminine	młodej kobiecie twojej ulicy wielkiej rybie dobrej córce	młodych kobietach twoich ulicach wielkich rybach dobrych córkach
Neuter	wysokim drzewie dużym oknie silnym sercu	wysokich drzewach dużych oknach silnych sercach

Instrumental	*Singular*	*Plural*
Masc. person	mądrym studentem wysokim Anglikiem znanym lekarzem	mądrymi studentami wysokich Anglikach znanymi lekarzami
Masc. animal	czarnym koniem ciężkim słoniem szarym kotem	czarnymi końmi ciężkimi słoniami szarymi kotami
Masc. object	polskim bankiem okrągłym stołem małym parkiem	polskimi bankami okrągłymi stołami małymi parkami
Feminine	młodą kobietą twoją ulicą wielką rybą dobrą córką	młodymi kobietami twoimi ulicami wielkimi rybami dobrymi córkami
Neuter	wysokim drzewem dużym oknem silnym sercem	wysokimi drzewami dużymi oknami silnymi sercami

Key to Exercises

LESSON 1

Exercise 2: 1 journey (*f.*) 2 passport (*m.*) 3 card (*f.*) 4 luggage (*m.*) 5 Mister, gentleman (*m.*) 6 map (*f.*) 7 entrance, way in (*n.*) 8 father (*m.*) 9 town, city (*n.*) 10 (first) name (*n.*) 11 ticket (*m.*) 12 customs (*n.*) 13 aeroplane (*m.*) 14 airport (*n.*) 15 shop (*m.*) 16 post office (*f,*) 17 man (*m.*) 18 bone (*f.*) 19 night (*f.*) 20 tariff, fare (*f.*)

Exercise 3: Warsaw. At last we're [here]. The airport. Here are customs and the customs officer. There's the luggage and [passport] control. Here you are, this is my document, my passport. PASSPORT Number: Name: Surname: Date of birth: Place of birth: Nationality: Profession: Address: Photograph: Signature: – Mrs X? – Yes, that's me. – Thank you, madam. – Is that all? – Yes. – Thank you. – You're welcome. Goodbye. – Goodbye.

Exercise 4: 1 Czy to (jest) Warszawa? *or* To (jest) Warszawa? 2 To (jest) mój paszport. 3 Czy to (jest) cło? *or* To (jest) cło? 4 To (jest) mój bagaż. 5 Nareszcie państwo jesteście. 6 Państwo Skate? 7 Czy to (jest) mój bilet? *or* To (jest) mój bilet? 8 Czy to (jest) adres? *or* To (jest) adres? 9 To nie adres. 10 To państwo Rumian(owie).

Exercise 5: 1 zdjęcia. 2 loty. 3 miasta. 4 lotniska. 5 stacje. 6 podpisy. 7 karty. 8 miejsca. 9 mapy. 10 domy.

Exercise 6: 1 To (są) bardzo tanie bilety. 2 My jesteśmy Wernerowie a to (są) państwo Skate. 3 Nie jesteśmy bardzo starzy. 4 Warszawa jest bardzo ładna. 5 Czy pan Skate jest stary? Nie, on jest młody. 6 Czy to jest brytyjski paszport? 7 Nie, to jest nowy, granatowy paszport. Stare brytyjskie paszporty są granatowe a nowe są czerwone. Polskie paszporty są granatowe. 8 To jest moja walizka. Ona nie jest duża, (ona) jest mała. 9 Kto to jest? 10 To jest polski celnik.

LESSON 2

Exercise 7: 1 . . . cieszysz? Are you pleased? 2 . . . się . . . cieszę. Of course I'm not pleased. 3 . . . chorują. Mr and Mrs Skate are very nice but they're always ill. 4 . . . pije. Mrs Rumian often drinks tea. 5 . . . tańczy. Zosia dances beautifully. 6 . . . robicie? What are you doing? 7 . . . robimy. We're not doing anything (*lit.* We're doing nothing). 8 . . . myje? Does she wash?/Is she washing?

Exercise 8: 1 dwa jabłka. 2 jedna bułka. 3 cztery kawy. 4 dwaj mężczyźni. 5 dwie siostry. 6 jedna herbata. 7 dwa pomidory. 8 dwaj synowie. 9 dwie córki. 10 jedna żona.

Exercise 9: 1 ... mówisz? What are you saying? 2 ... robimy...? What are we doing this evening? 3 ... krzyczysz ...? ... siedzi ... robi. Why are you shouting at her? She's sitting doing nothing. 4 ... lubią ...? Do you like black coffee? 5 ... prosimy ... proszą ... We're asking for coffee and they're asking for tea. 6 ... robisz ...? Are you doing the shopping or (is) Martha?

LESSON 3

Exercise 10: 1 Co czytasz? 2 Czytam bardzo ciekawą książkę. 3 Jak się pani nazywa? 4 Gdzie pan mieszka? 5 Teraz odpoczywam, bo jestem zmęczony. 6 Dziś oglądamy telewizję. 7 Czy one pamiętają moje nazwisko? 8 Czy pani długo czeka? 9 Wiem że (on) codziennie kupuje angielską gazetę. 10 Andrzej zawsze przeprasza, jak się spóźnia. 11 Mój mąż gotuje bardzo smaczną kolację. 12 Jest wcześnie, mam czas na śniadanie. Kawę, mleko, jedną bułkę i masło, proszę.

Exercise 11: 1 ciężkie zakupy matki. 2 duże walizki chłopców. 3 tani bilet kolegi. 4 granatowy paszport pasażera. 5 ciekawa książka lekarza. 6 długie ulice miasta. 7 zimne pokoje hotelu. 8 smak wina. 9 wysoki koszt chleba. 10 długi list jego siostry. 11 Kilo czerwonych pomidorów, proszę. 12 Pół kilo sera, proszę.

Exercise 12: 1 trzy + sześć = dziewięć. 2 dziewięć + jedenaście = dwadzieścia. 3 piętnaście + dziewiętnaście = trzydzieści cztery. 4 trzydzieści jeden + czterdzieści sześć = siedemdziesiąt siedem. 5 pięćdziesiąt osiem + sześćdziesiąt dziewięć = sto dwadzieścia siedem. 6 siedemdziesiąt osiem + dziewięćdziesiąt dziewięć = sto siedemdziesiąt siedem. 7 sto jeden + trzysta sześćdziesiąt siedem = czterysta sześćdziesiąt osiem. 8 tysiąc pięćset + sześć tysięcy siedemset dziewięćdziesiąt osiem = osiem tysięcy dwieście dziewięćdziesiąt osiem. 9 dwadzieścia tysięcy trzysta pięćdziesiąt jeden + trzydzieści siedem tysięcy czterysta osiemdziesiąt dziewięć = pięćdziesiąt siedem tysięcy osiemset czterdzieści. 10 milion siedemset sześćdziesiąt dziewięć tysięcy dwieście trzy + siedemset pięćdziesiąt pięć = milion siedemset sześćdziesiąt dziewięć tysięcy dziewięćset pięćdziesiąt osiem. 11 czworo dzieci. 12 dwie kobiety. 13 czterej mężczyźni. 14 trzy sklepy. 15 dwa przystanki.

Exercise 13: 1 Nie, nie mam bagażu. 2 Nie, to nie jest mój paszport. 3 Nie, nie lubię koniaku. 4 Nie, nie piję dużo herbaty. 5 Nie, nie znamy daty twoich urodzin. 6 Nie, oni nie mają dobrego adresu. 7 Nie, one nie kupują wody mineralnej. 8 Nie, nie idziemy dziś do kina.

LESSON 4

Exercise 14: 1 Ile kosztuje kilo sera? Sto tysięcy złotych. 2 Proszę trzy bułki, chleb razowy, pięćdziesiąt gramów masła i litr mleka. O, i butelkę wina. 3 Jakie wino pan lubi? 4 Czy szampan jest drogi? Owszem, drogi, ale dobry. 5 Czy ma pan pieniądze? Mam, ale nie dużo. 6 Gdzie tu sprzedają kwiaty? 7 Kilo czerwonych jabłek, kilo pomidorów, sałatę i chrzan proszę.

8 – Gdzie jest sklep spożywczy? Czy (on jest) daleko stąd? – Nie, jest bardzo blisko przystanku autobusu numer sto dwadzieścia pięć, obok biblioteki, naprzeciwko kina i niedaleko poczty. 9 A czy sprzedają tam pieczywo, jarzyny, owoce, wodę mineralną i ser? 10 Który chleb jest świeży? Wszystkie są świeże.

Exercise 15: 1 On gotuje smaczne obiady, bo lubi smacznie jeść. 2 On ma szybki samochód, bo lubi szybko jeździć. 3 Bilety do teatru nie są tanie, ale on kupuje tanio bilety do kina. 4 On bardzo dobrze wie, że to (jest) dobra książka. 5 Róża jest piękna i pięknie pachnie. 6 Jerzy jest bardzo interesujący i interesująco mówi. 7 Marta nie jest bardzo młoda, ale wygląda młodo. 8 To (jest) bardzo długa książka. Czy długo ją czytasz? (or Czy długo pan/pani ją czyta?)

Exercise 16: 1 poniedziałek, dwudziestego pierwszego maja, tysiąc dziewięćset dziewięćdziesiątego. 2 sobota, trzydziestego listopada, tysiąc dziewięćset czterdziestego ósmego. 3 wtorek, piętnastego kwietnia, tysiąc dziewięćset trzynastego. 4 czwartek, siódmego stycznia, tysiąc dziewięćset czterdziestego czwartego. 5 niedziela, dwudziestego czwartego grudnia, tysiąc dziewięćset pięćdziesiątego. 6 piątek, osiemnastego lutego, tysiąc osiemset siedemnastego. 7 środa, trzeciego października, tysiąc pięćset osiemdziesiątego siódmego. 8 poniedziałek, piątego lipca, tysiąc siedemset sześćdziesiątego piątego. 9 czwartek, dwudziestego dziewiątego września, tysiąc dziewięćset dziewięćdziesiątego czwartego. 10 piątek, dwudziestego drugiego sierpnia, tysiąc trzysta szesnastego.

Exercise 17: 1(a) Co robiłeś? (b) Co robiłaś? 2 Pan Antoni był chory. 3 On lubił chodzić do kina. 4 Państwo Caren umieli mówić po polsku. 5 Widziałem/Widziałam, jak dziecko spało. 6(a) Nie miałyście niczego do jedzenia, to mogłyście iść do restauracji. (b) Nie mieliście niczego do jedzenia, to mogliście iść do restauracji. 7 On zawsze był pierwszy. 8 Marta szła ostatnia. 9 Wczoraj było trzeciego grudnia.

Exercise 18: Dzisiaj jest trzeciego grudnia. 2 Pan Caren przylatuje do Warszawy dzisiaj. 3 Tak, oni się znają bardzo długo. 4 Nie, Thomas nigdy nie był w Polsce. Jest po raz pierwszy. 5 Nie, Thomas nie mieszka u swojej siostry. On mieszka u swojego kolegi, Jerzego Siarskiego. 6 Tak, Thomas zapominał książki, kiedy był studentem. I zapominał, kiedy są egzaminy. 7 Jego kolega martwi się, bo nie może ciągle pilnować Thomasa. 8 Jerzy nie może pilnować Thomasa, bo musi pracować.

LESSON 5

Exercise 19: 1 Przeczytałem/Przeczytałam ... oddałem/oddałam ... 2 ... oglądałem/oglądałam ... zdecydowałem/zdecydowałam się ... 3 ... nie przyszedłeś/nie przyszłaś (or pan nie przyszedł/pani nie przyszła) ... 4 ... ugotował ... 5 Napisałem/Napisałam ... wysłałem/wysłałam. 6 ... kupowałeś/kupowałaś ... 7 Pobiegłem/Pobiegłam ... spóźniłem/spóźniłam się. 8 Szedłem/Szłam ... myślałem/myślałam ... 9 Zadzwonił ... powiedział ... przyjść. 10 ... zobaczył ... pobiegł ...

Exercise 20: 1 When her husband fell ill, she immediately ran to the doctor. *Perfective in both cases because the action is completed. He 'fell ill' at* *a certain moment only and she ran 'immediately'.* 2 The doctor examined him and said that there's nothing wrong with him. *Perfective aspect in both cases because the doctor's examination is finished and he said 'there's nothing wrong with him' only once. Notice that what he said is in the present tense, reflecting what he actually said.* 3 But he constantly complained that he had a headache, so his wife massaged his neck every evening. *Imperfective because the actions were repeated. Again, his actual complaint is in the present tense, matching what he said.* 4 He immediately felt better and started to sing. *Perfective because of an immediate change of state, and because the action of starting is over and done with.* 5 He sang every day and so out of tune that his wife got a headache. *The first two are imperfective because the action was repeated every day.* **Rozbolała** *is the perfective because there was an instant when the wife's head started hurting.* 6 He went out of the house, saw that it was raining and hid again. *Perfective because the actions are completed. Again, the present tense reflects what he saw – he would have thought, 'It is raining'.* 7 He sat and sat in front of that television until he fell asleep. **Siedział i siedział** *are both imperfective because a continuous action is implied.* **Zasnął** *is perfective because of the completed change of state from waking to sleeping.* 8 He sat down in the armchair and didn't want to get up, he was so comfortable. **Usiadł** *is perfective because he sat down only once.* **Chciał** *and* **było** *are imperfective because both were continuous states.* 9 He read the book so long until it bored him. **Czytał** *is imperfective because he read for a long time.* **Znudziła** *is perfective because there was a moment when the book started boring him.* 10 She always used to buy bread in the corner shop (lit. shop on the corner) but today she bought it somewhere else. **Kupowała** *is imperfective because the action was habitual.* **Kupiła** *is perfective because she bought the bread once – i.e. today.*

Exercise 21: 1 (On) nigdy nie chodził do lekarza, ale wczoraj poszedł, bo bardzo bolała go głowa. 2 Kupił książkę, jednak jej nie skończył. 3 Chciałem/Chciałam się z tobą (z panem/z panią) zobaczyć/spotkać, ale musiałem/musiałam pójść do ciotki. 4 Dlaczego nie przeczytałeś książki? Bo nie miałem czasu. 5 Długo czekałem/czekałam na autobus, dlatego spóźniłem/spóźniłam się do teatru. 6 Jerzy miał wybór – albo pójść na wystawę albo zostać i napisać artykuł. 7 Pan Caren zgubił paszport, więc musiał wrócić do Londynu. 8 Adwokat wziął pieniądze i uciekł. 9 Barbara powiedziała co myśli i długo czekała na odpowiedź profesora. 10 Andrzej wypił kawę, poprosił o rachunek i poszedł obejrzeć wystawę.

LESSON 6

Exercise 22: 1 (On) Podziękował matce i poszedł do kina. 2 Dzięki bratu znowu się spóźniłem/spóźniłam. Bardzo długo czekałem/czekałam na niego a on mnie nawet nie przeprosił za spóźnienie. 3 Pan Siarski poszedł do adwokata i życzył mu szczęścia. 4 Podczas urlopu Witold pomagał swojej matce robić zakupy. 5 (On) podziękował ojcu za radę, ale zrobił to, co chciał. 6 Żal mi Piotra, że nie może jechać na wakacje. 7 Witold powiedział Marcie, że chce się z nią spotkać blisko muzeum. 8 Pani Siarska poszła do księgarni naprzeciwko biblioteki, bo wbrew życzeniu Pana Siarskiego chciała sobie kupić jeszcze jedną książkę. 9 Maciek pomógł siostrze napisać list i poszedł na pocztę wysłać go. 10 Wyszedł bez płaszcza, bo było mu gorąco i przeziębił się. Teraz kicha, kaszle i siąka.

Exercise 23: 1 **Będę czytał, kiedy on zadzwoni.** I'll be reading when he phones. 2 **Bruno zje kolację i spotka się z Leszkiem.** Bruno will eat supper and meet Leszek. 3 **Będzie piękna pogoda, więc będziemy siedzieć w ogrodzie.** The weather's going to be beautiful so we're going to sit in the garden. 4 **Jurek zgubi książkę matki, ale wkrótce ją znajdzie.** Jurek is going to lose his mother's book, but he'll soon find it. 5 **Będzie śliczna pogoda. Będę chciał/chciała pójść na spacer.** The weather's going to be lovely. I'm going to want to go for a walk. 6 **Alfred kupi kwiaty i pięknie je ułoży.** Alfred is going to buy flowers and arrange them beautifully. 7 **Dlaczego nie będziecie chcieli/chciały pójść do kina?** Why aren't you going to want to go to the cinema? 8 **Coś się jej w życiu zmieni, bo będzie bardzo spokojna.** Something's going to change in her life because she's going to be very calm. 9 **On będzie bardzo dobrze pływał, ale nie będzie tak dobrze skakał.** He's going to swim very well but he's not going to jump that well. 10 **Andrzej i Małgosia będą szukali grzybów, ale nic (żadnych grzybów) nie znajdą.** Andrew and Małgosia are going to look for mushrooms but they won't find any.

LESSON 7

Exercise 24: 1 Gruba książka profesora leży na stole. 2 Pójdziemy do kina po obiedzie. 3 Na naszej ulicy jest bardzo dobra i tania restauracja. 4 Na pewno znajdziecie skarpetki w dolnych szufladach. 5 Koleżanka Marii zapomniała parasolkę przy drzwiach. 6 Nauczycielka przeczytała dzieciom piękną bajkę o krasnoludkach. 7 Dzieci biegają po trawie. 8 Jerzy zapisał sobie datę w kalendarzyku.

Exercise 25: 1 rozsądniejszy, najrozsądniejszy. 2 zwyklejsza, najzwyklejsza. 3 trudniejsze, najtrudniejsze. 4 ciemniejsze, najciemniejsze. 5 liczniejsze, najliczniejsze. 6 piękniejsza, najpiękniejsza. 7 hałaśliwszy, najhałaśliwszy. 8 ruchliwsza, najruchliwsza. 9 gorsza, najgorsza. 10 lżejsze, najlżejsze. 11 bliżsi, najbliżsi. 12 zimniejsi, najzimniejsi. 13 bardziej uparci, najbardziej uparci. 14 surowsze, najsurowsze. 15 starsze, najstarsze.

Exercise 26: 1 Pan Milewski je bardzo wolno, ale jego żona je jeszcze wolniej. 2 Przepraszam, gdzie jest najbliższy sklep spożywczy? 3 Jerzy myślał, że kupił najtańsze ogórki na targu, ale jego narzeczona znalazła stoisko, gdzie sprzedawali ogórki jeszcze taniej. 4 Dlaczego tak ostro reagujesz? Przecież nic poważnego się nie stało. 5 Możesz zapytać kasjerkę o zniżkę. Najwyżej powie 'nie'. 6 Wczoraj był najzimniejszy dzień miesiąca. 7 On to na pewno zrobi lepiej od ciebie. 8 W Teatrze Wielkim idzie świetna sztuka. Pójdziemy razem? Bardzo chętnie. 9 To chyba była najnudniejsza sztuka, którą kiedykolwiek widziałem/-łam w życiu. I na sali było strasznie duszno.

LESSON 8

Exercise 27: 1 Marek naprawdę powinien porozmawiać ze swoim szefem, zanim wyjedzie do Stanów na trzy miesiące. 2 Trzeba było mi powiedzieć, że nie masz ochoty na zupę. 3 Muszę dzisiaj pójść do banku wpłacić pieniądze, chociaż nie mam czasu. 4 Nie powinnaś była krzyczeć na niego, ponieważ to nie była jego wina. 5 Ojciec zawsze musi za niego płacić. On naprawdę powinien nauczyć się lepiej gospodarować swoimi pieniędzmi. 6 Jeżeli pan nie pójdzie do biblioteki i nie odda pan tej książki przed wtorkiem, będzie pan musiał zapłacić dużą karę. 7 Jak tylko pani będzie mogła, powinna pani zadzwonić do lekarza i umówić się. 8 Gdy boli ząb, trzeba iść do dentysty. 9 Po zebraniu Andrzej musiał spotkać się ze swoim szefem, ponieważ następnego dnia jechał na ważną konferencję. 10 Powinniśmy rano złapać pociąg, inaczej możemy się spóźnić na pierwszy odczyt.

Exercise 28: 1 I'm sorry you can't come. 2 The thunder was so loud that Marceli hid under the bed. 3 Suddenly he felt like going to a Chinese restaurant. 4 He was dizzy from lack of sleep. 5 At last it's brightened up! 6 It was very gloomy yesterday. Everybody was sad and sleepy. 7 He was cold but he set his mind and didn't put on another jumper. 8 It's become colder today and started pouring terribly. 9 I didn't want to go to the reception but I didn't manage to get out of it. 10 It occurred to me that perhaps we'd have supper together.

Exercise 29: 1 różowym kwiatem. 2 twardym ołówkiem. 3 wielkimi młotkami. 4 szarymi budynkami. 5 dużym uchem. 6 drogimi restauracjami. 7 poważną pracą. 8 młodymi Irlandczykami. 9 wolną taksówką. 10 zajętymi pokojami. 11 wczorajszym chlebem. 12 zsiadłym mlekiem. 13 kwaśnymi winami. 14 tępymi nożami. 15 srebrną biżuterią. 16 zepsutymi zegarkami. 17 nowoczesną wystawą. 18 twardą walutą. 19 dużymi łyżkami. 20 moim widelcem.

Exercise 30: 1 Przyjechałem taksówką. 2 Zostawiłam samochód przed domem. 3 Umówię się z koleżanką. 4 On jest angielskim lekarzem (doktorem). 5 On się interesuje nowoczesną sztuką. 6 Postawiłam zakupy na półce. 7 Wołowinę kroi się ostrym nożem. 8 Maria spotka się z narzeczonym pod bramą uniwersytetu. 9 Kolumna Zygmunta stoi przed Zamkiem Królewskim. 10 W Stanach płaci się dolarami.

Exercise 31: 1 Idź do domu! 2 Proszę zamówić kolację. 3 Postaw tę torbę pod stołem! 4 Nie spóźnijcie się! 5 Niech pani się poczęstuje. 6 Niech panowie wybiorą wino. 7 Jedz zupę dużą łyżką a nie małą. 8 Niech pani nie kupuje tych pomidorów, one są zgniłe. 9 Słuchaj, co się do ciebie mówi! 10 Nie parkować przed bramą!

LESSON 9

Exercise 32: 1 **Kupiłabym tę angielską książkę.** I'd buy that English book. 2 **Piotr popędziłby do sklepu.** Peter would rush to the shop. 3 **Przyjechałybyśmy taksówką.** We'd come by taxi. 4 **Włożyłby garnitur.** He'd put on a suit. 5 **Nareszcie zaprosiliby nas.** At last they'd invite us. 6 **Poczęstowałby/-ałaby się.** He/She'd help him/herself. 7 **Wpłaciłbym twoje pieniądze.** I'd pay in your money. 8 **Miałabym ochotę na sernik.** I'd feel like/fancy a cheesecake. 9 **Umówiłybyśmy się.** We'd make an appointment. 10 **Porozmawialibyśmy.** We'd have a chat.

Exercise 33: 1 kocie! 2 dziewczyno! 3 kobieto! 4 Janie! 5 Jurku! 6 koniu! 7 wujku! 8 synowie! 9 siostry!

Exercise 34: I very much wanted to go to the famous painter's exhibition. The exhibition came from England but the painter is French. I've always been interested in his work, so as soon as I found out that there was going to be an exhibition in the Zachęta (Gallery), I agreed to meet with a friend. I thought it would be pleasant to go together with Jurek because he, too, is interested in contemporary art, so I arranged to meet him on Tuesday. Museums and galleries are closed on Mondays. We agreed to meet at ten in front of the gallery because if it rained we wouldn't have far to go. I waited ten minutes, twenty, half an hour for Jurek. He didn't come. I became annoyed. I went to a telephone and phoned him. He was at home. Sleeping. I scolded him. And he answered me in a sleepy voice: 'But we agreed to meet next Tuesday. It's the 7th today and the exhibition doesn't open until the 14th!' I felt foolish. I should have looked at the poster. After all, I did stand in front of the gallery a full half hour. I apologized sincerely to my friend, who laughed at me for a long time.

LESSON 10

Exercise 35: 1 W przyszłym czerwcu. 2 O ósmej, we wtorek. 3 Jutro o wpół do jedenastej. 4 Za trzy tygodnie. 5 W przyszły czwartek, za kwadrans trzecia po południu. 6 Za chwilę. 7 Dziś, piętnaście po dziewiątej wieczorem. 8 Podczas odczytu. 9 W tę środę, między wpół do czwartej a piątą. 10 W przyszłym roku, w październiku.

Exercise 36: 1 Dziewiąta (godzina). 2 Pięć po siódmej. 3 Kwadrans po szóstej/Piętnaście po szóstej. 4 Za dziesięć trzecia. 5 Za kwadrans druga/Za piętnaście druga. 6 Za dwadzieścia jedenasta. 7 Za dziesięć czwarta. 8 Druga (godzina). 9 Dziesięć po dziewiątej. 10 Wpół do ósmej/Siódma trzydzieści.

Exercise 37: 1 Trzydziestego pierwszego lipca tysiąc dziewięćset dziewięćdziesiątego drugiego. 2 Dwudziestego sierpnia tysiąc dziewięćset dziewięćdziesiątego pierwszego. 3 Szesnastego kwietnia tysiąc dziewięćset osiemdziesiątego. 4 Dwunastego września tysiąc dziewięćset siedemdziesiątego szóstego. 5 Piątego listopada tysiąc osiemset osiemdziesiątego piątego. 6 Trzeciego marca tysiąc siedemset szóstego. 7 Pierwszego lutego tysiąc pięćset szesnastego. 8 Jedenastego listopada tysiąc dziewięćset jedenastego. 9 Dwudziestego czwartego grudnia tysiąc dziewięćset dziewięćdziesiątego czwartego. 10 Siódmego czerwca tysiąc dziewięćset dziewięćdziesiątego piątego.

Exercise 38: 1 Od piętnastego lutego do dwudziestego szóstego marca. 2 Całymi miesiącami. 3 Raz na dwa tygodnie. 4 Trzy godziny. 5 Przez cztery dni. 6 W przeciągu dwóch dni. 7 O dziesiątej. 8 Raz na tydzień. 9 Co czwartek. 10 Do dziewiątej wieczorem.

Exercise 39: 1 Jurek jest tu, a Marysia jest w sypialni. 2 Nad rzeką. 3 Przy małej stacji pod Łodzią. 4 W mojej torbie pod stołem. 5 Tutaj. 6 U lekarza/doktora. 7 W szpitalu pod Krakowem. 8 Wisi w łazience na drzwiach. 9 W hotelu koło ratusza. 10 W pudełku na biurku.

Exercise 40: 1 Jak leciałem z Londynu do Warszawy, spotkałem w samolocie starego kolegę. 2 Podczas lotu powspominaliśmy sobie dawne czasy i dowiedziałem się, że Michał będzie pod Poznaniem od dziesiątego do piętnastego sierpnia. 3 Potem miał przyjechać do Warszawy i zatrzymać się w nowym Hotelu Bristol koło Kościoła Wizytek. 4 Umówiliśmy się, że spotkamy się za dwa tygodnie w jakiejś restauracji na Starym Mieście. 5 Teraz muszę pójść do biblioteki i przeczytać wszystkie recenzje, chociaż nie lubię siedzieć w jednym miejscu przez tyle godzin. 6 Jak skończę czytać, zrobię przerwę, pójdę pospacerować po parku, a potem znowu będę czytał przez cały wieczór. 7 Dziecko kręciło się pod stołem między nogami. 8 Przyjedź do mnie w marcu na trzy tygodnie. Pojedziemy w góry. 9 Niestety, nie mogę, bo od trzeciego marca do szesnastego czerwca muszę być w Londynie. 10 Samochód pędził 150 kilometrów na godzinę i spowodował wypadek na autostradzie.

LESSON 11

Exercise 41: 1 List był napisany przeze mnie. 2 Czy on już oddał pożyczoną książkę? 3 W soboty kolacja jest gotowana przez Michała. 4 Kiedy mieszkaliśmy na wsi, (to) owoce zawsze były kupowane na targu. 5 Znowu toaleta jest zajęta! 6 Ta powieść była mi nieznana. 7 Kolędy są śpiewane na Boże Narodzenie. 8 W tym banku nie wymienia się walut. 9 Kolację mamy zamówioną na ósmą. 10 To jest rzadko oglądany film.

Exercise 42: 1 He was informed by letter that he had been thrown out of work. 2 He'll be very sorry when he finds out that you (*fam.*) aren't coming. 3 He'll definitely be elected president of the board. 4 They live in a beautiful house which was built in 1760. 5 Have you (*pol. to man*) been told that there are no planes on Sundays (*lit.* that planes aren't flying on Sundays)? 6 The train was stopped between Gdańsk and Gdynia. 7 Both mother and daughter were examined by the same doctor. 8 Tomorrow the performance will be cancelled. 9 Yesterday's television news was presented by an acquaintance of mine. 10 During his absence his aunt was murdered.

Exercise 43: 1 Kiedy/Jak układałem/-łam książki, znalazłem/-łam polsko-angielski słownik. 2 Krzycząc, Jurek pobiegł za kolegą. 3 Myśląc o mężu, zapomniała o spotkaniu z profesorem. 4 Wąchając kwiaty, zaniosła je matce. 5 Poszedł do banku, licząc pieniądze. 6 Nie zapomnij o Barbarze, jak będziesz zamawiał bilety do teatru. 7 Pójdzie do windy dźwigając walizkę. 8 Kiedy/Jak oglądałem/-łam wystawę, pomyślałem/-łam, że podobałaby się tobie. 9 Na pewno znajdziecie grzyby, jak pójdziecie na spacer w lesie. 10 Upił się, jak siedział w barze dwie godziny czekając na swoją narzeczoną.

Mini-dictionary

Polish–English

Verbs are listed with their imperfective form followed by the perfective. Nouns have the singular and plural genitive forms in brackets. The words for numbers will be found in Sections 2.6, 3.4 and 4.5.

Note the alphabetical order – letters with accents follow the same letter without accent.

a but; and; whereas
adres (-u, -ów) address
adwokat (-a, ów) solicitor
aktor (-a, -ów) actor
aktorka (**aktorki, aktorek**) actress
albo or
albo ... albo ... either ... or ...
ale but
ależ ...! *expression of surprise*
akademicki academic (*adj.*)
amator (-a, -ów) amateur, buff (*m.*)
amatorka (**amatorki, amatorek**) amateur, buff (*f.*)
Angielka (**Angielki, Angielek**) Englishwoman
angielski English
Anglia (**Anglii**) England
Anglik (-a, -ów) Englishman
ani nor
ani ... ani ... neither ... nor ...
apteka (**apteki, aptek**) chemist's (*shop*), pharmacy
Arab (-a, -ów) Arab
artykuł (-u, -ów) article
artysta (**artysty, artystów**) artist (*m.*)
artystka (**artystki, artystek**) artist (*f.*)
autobus (-u, -ów) bus
autostrada (**autostrady, autostrad**) motorway
aż until

bać (II) **się** + *gen.* to be afraid of
badać (III), **zbadać** (III) to examine
bagaż (-u, -y/-ów) luggage
balkon (-u, -ów) balcony
bank (-u, -ów) bank
bar (-u, -ów) bar
bardziej more
bardzo very
barszcz (-u, -ów) beetroot soup
Belg (-a, -ów) Belgian (man)
bez + *gen.* without
bęben (**bębna, bębnów**) drum
biały white
biblioteka (**biblioteki, bibliotek**) library
biec (I **biegnę, biegniesz**), **pobiec** (I) to run
biedny poor
bilet (-u, -ów) ticket
biologia (**biologii**) biology
biuro (**biura, biur**) office
biżuteria (**biżuterii**) jewellery
blisko (**do/od**) + *gen.* near
bliziutko very near
blondyn (-a, -ów) blond (*m. pers.*)
błądzić (II), **zabłądzić** (II) to roam, stray
bo because
boleć (II), **zaboleć** (II) to hurt
boli go głowa he has a headache
Boże Narodzenie (**Bożego Narodzenia**) Christmas

brać (I), wziąć (I) to take
brak (-u, -ów) shortage, lack
brama (bramy, bram) gate
brat (-a, braci) brother
brydż (-a, -ów) bridge (card game)
brytyjski British (*adj.*)
brzeg (-u, -ów) waterbank, edge
brzuch (-a, -ów) stomach
budować (I), zbudować (I) to
  build
budynek (budynku, budynków)
  building
bulion (bulionu) consommé
bułka (bułki, bułek) bread roll
burak (-a, -ów) beetroot
but (-a, -ów) shoe
butelka (butelki, butelek) bottle
butik (-u, -ów) boutique
być (*irreg.* jestem, jesteś), bywać
  (III, *freq.*) to be
bystry fast; quick-witted

cały whole
ceber (cebra, cebrów) wooden
  bucket
  leje jak z cebra it's raining cats
  and dogs
cegła (cegły, cegieł) brick
celnik (-a, -ów) customs officer
chcieć (I), zachcieć (I) to want to,
  wish
  chce mi się I want
chemia (chemii) chemistry
chętny willing
chiński Chinese (*adj.*)
chleb (-a, -ów) bread
chłop (-a, -ów) peasant; guy
chłopiec (chłopca, chłopców) boy
choć although
chociaż although, though, albeit
chodzić (II), iść (I)/pójść (I) to
  go, walk
chorować (I), zachorować (I) to
  be ill
chory ill
chować (III) (się), schować (III)
  (się) to hide (oneself)
chrzan (-u, -ów) horseradish
chrześcijanin (-a, chrześcijan)
  Christian (*m.pers.*)

chudy lean
chwila (chwili, chwil) moment
chyba probably
ciało (ciała, ciał) body
ciągle constantly
ciągnąć (I), pociągnąć (I) to pull
ciąża (ciąży, ciąż) pregnancy
  być w ciąży to be pregnant
ciekawy interesting; curious
cielę (cielęcia, cieląt) calf
cielak (-a, -ów) calf
  (kotlet) cielęcy veal (cutlet)
cielęcina (cielęciny) veal
ciemny dark
ciepło warm (*adv.*)
ciepły warm
cieszyć (II) się, ucieszyć (II) się
  to be happy, glad
ciężki heavy
ciocia (cioci, cioć)/ciotka (ciotki,
  ciotek) aunt, auntie
cisza (ciszy, cisz) silence
cło (cła, ceł) customs duty
co what; every
codziennie everyday
cokolwiek anything
coś something
córka (córki, córek) daughter
cukier (cukru, cukrów) sugar
cyrk (-u, -ów) circus
czarny black
czas (-u, -ów) time
czek (-u, ów) cheque
czekać (III), poczekać (III) na +
  acc. to wait for
czerwiec (czerwca, czerwców)
  June
czerwony red
cześć! hi!
często often
częstować (I) się, poczęstować (I)
  się to help oneself
człowiek (-a, *pl.* ludzie – ludzi)
  person, human being
czuć (I) się, poczuć (I) się to feel
czwartek (czwartku, czwartków)
  Thursday
czy or; *indication of question*
czysty clean; clear
  czysta wódka clear vodka

czytać (III), przeczytać (III) to
read
czytywać (I, *freq.*) to read

ćwierć; ćwiartka (ćwiartki,
ćwiartek) quarter

dach (-u, -ów) roof
dalej further
daleki distant
daleko (do/od) + *gen.* far (to/from)
danie (dania, dań) dish, course
data (daty, dat) date (*calendar*)
dawać (I), dać (III) to give
dawniej formerly, in the past
dawno long ago
dawny former
dbać (III), zadbać (III) to take
care of
decydować (I) (się), zdecydować
(I) (się) to decide
denerwować (I), zdenerwować (I)
to annoy
dentysta (dentysty, dentystów)
dentist
deszcz (-u) rain
pada deszcz it's raining
dieta (diety, diet) diet
dla + *gen.* for
dlaczego why
dlatego therefore
dlatego, że because
długi long
długo (*adv.*) long, for a long time
do + *gen.* to
do widzenia goodbye
dobry good, right
dobrze well
dojrzały ripe; mature
doktór (doktora, doktorów) doctor
dokuczać (III), dokuczyć (II) to
annoy, tease
dokument (-u, -ów) document
dolar (-u, ów) dollar
dom (-u, -ów) house
dopiero only, not before
dopiero co only just
dopłata (dopłaty, dopłat)
supplement (charge)
dorosły adult, grown-up

dotyczyć (*impers. imperf.* II) to
concern
dowiadywać (I) się, dowiedzieć
(IV) się to find out
droga (drogi, dróg) road, way
drogi dear, expensive
drugi second, another
drzewo (drzewa, drzew) tree
drzwi (*pl.*, drzwi) door
duszno stuffy
dużo much, many
duży large
dyrektor (-a, -ów) director,
manager (*m.*)
dzban (-u, -ów) jug
dziecko (dziecka, dzieci) child
dzień (dnia, dni) day
dziennie daily, every day
dziewczyna (dziewczyny,
dziewczyn) girl
dziewczynka (dziewczynki,
dziewczynek) little girl
dzięki + *dat.* thanks to
dziękować (I), podziękować (I) +
dat. to thank
dziękuję thank you
dzik (-a, -ów) wild boar
dzwon (-u, -ów) bell
dzwonić (II), zadzwonić (II) to
ring; phone
dziś, dzisiaj today
dźwigać (III), dźwignąć (I) to
carry, to heave
dżem (-u, -ów) jam
dżentelmen (-a, -ów) gentleman
dżuma (dżumy, dżum) plague
dżungla (dżungli, dżungli) jungle

egzamin (-u, -ów) exam
eksport (-u, -ów) export
elegancki elegant
ewentualnie possibly

fakt (-u, -ów) fact
fala (fali, fal) wave
fałszować (I), sfałszować (I) to
falsify; (sing) out of tune
film (-u, -ów) film
fizyka (fizyki) physics
fotel (-u, -ów) armchair

francuski French
fryzjer (-a, -ów) hairdresser
funt (-a, -ów) pound

galeria (galerii, galerii) gallery
garnitur (-u, -ów) suit
gazeta (gazety, gazet) newspaper
gazowana (woda) sparkling (water)
gdy when, as
gdyby if
gdzie? where?
gdzieś somewhere
gdzieś indziej somewhere else
gest (-u, -ów) gesture
gimnastyka (gimnastyki)
   gymnastics
głos (-u, -ów) voice
głośno loudly
głowa (głowy, głów) head
główny main
głupi foolish, stupid
głupstwo (głupstwa, głupstw)
   nonsense, foolishness
godzina (godziny, godzin) hour
golonka (golonki, golonek) pig's
   hock
gorąco hot (adv)
gość (gościa, gości) guest
gospodarować (I, imperf.) to
   manage, administer
gotować (I), ugotować (I) to cook,
   to boil
gorszy worse
góra (góry, gór) mountain
grać (III), zagrać (III) to play, be
   on
gramatyka grammar
granatowy navy blue
gruby fat, thick
grudzień (grudnia, grudniów)
   December
grzmieć (II), zagrzmieć (II) to
   thunder
grzyb (-a, -ów) mushroom
gubić (II), zgubić (II) to lose
gubić się, zgubić się to get lost

hałaśliwy noisy
herbata (herbaty, herbat) tea
hotel (-u, -ów) hotel

i and
ich their
igła (igły, igieł) needle
ile how much
imię (imienia, imion) first name
inaczej otherwise, differently
informować (I), poinformować (I)
   to inform
inny different, other
interesować (I) się (czymś),
   zainteresować (I) się to be
   interested in
interesujący interesting
Irlandczyk (-a, -ów) Irishman
Irlandka (Irlandki, Irlandek)
   Irishwoman
iść (I idę, idziesz), pójść (I) to go
   (on foot)
iść na spacer to go for a walk
iść piechotą to go on foot
iść ulicą to go along a street

ja I
jabłko (jabłka, jabłek) apple
jajko (jajka, jajek) egg
jak how; when; like/as
jak gdyby as if
jak tylko as soon as
jakby as if
jaki what (what sort of)
jakieś some sort of
jarzyna (jarzyny, jarzyn) vegetable
jechać (I – jadę, jedziesz),
   pojechać (I) to go (transport)
jeden one
jednak however
jedzenie (jedzenia) food
jego his; its
jej her(s)
jesień (jesieni, jesieni) autumn
jeszcze yet, still
jeść (IV), zjeść (IV) to eat
jeździć (II), pojeździć (II) to
   drive, travel
jeżeli if
język (-a, -ów) language
joga (jogi) yoga
jutro (jutra) tomorrow
jutrzejszy tomorrow's
już already

kajak (-a, -ów) canoe
kapusta (kapusty, kapust) cabbage
kara (kary, kar) punishment, fine
karta (karty, kart) card
kartofel (kartofla, kartofli) potato
kasa (kasy, kas) cash-desk, box office
kasjer (-a, -ów) cashier (m.)
kasjerka (kasjerki, kasjerek) cashier (f.)
kaszleć (I), kaszlnąć (I) to cough
katedra (katedry, katedr) cathedral
kawa (kawy, kaw) coffee
kawiarnia (kawiarni, kawiarni) café
kelner (-a, -ów) waiter
kichać (III), kichnąć (I) to sneeze
kiedy when
kiedykolwiek whenever
kiedyś once, at one time
kiełbasa (kiełbasy, kiełbas) sausage
kierować (I), skierować (I) (kogoś) to lead, guide (someone)
kierownik (-a, -ów) manager (m.)
kierowniczka (kierowniczki, kierowniczek) manager (f.)
kierunek (kierunku, kierunków) direction
kilka several
kilometr (-a, -ów) kilometre
kino (kina, kin) cinema
kiosk (-u, -ów) news-stand, kiosk
klasa (klasy, klas) class
klient (-a, -ów) client
klub (-u, -ów) club
kłaść (I), pokłaść (I) to lay, put down
kobieta (kobiety, kobiet) woman
kolacja (kolacji, kolacji) supper
kolega (kolegi, kolegów) colleague, friend (m.)
koleżanka (koleżanki, koleżanek) colleague, friend (f.)
kolęda (kolędy, kolęd) Christmas carol
kołdun (-u, -ów) mutton ravioli
koło + gen. beside/near
koło (koła, kół) wheel
komin (-a, -ów) chimney

kompot (-u, -ów) fruit salad, compote
koncert (-u, -ów) concert
konferencja (konferencji, konferencji) conference
koniak (-u, -ów) brandy, cognac
koniec (końca, końców) end
kontrakt (-u, -ów) contract
kontrola (kontroli, kontroli) control
koń (konia, koni) horse
kończyć (II), skończyć (II) to finish
koszt (-u, -ów) cost
kosztować (I) (imperf.) to cost
kość (kości, kości) bone
kościół (-a, -ów) church
kot (-a, -ów) cat
kotlet (-a, -ów) chop, cutlet
kraj (-u, -ów) country
kraść (I), ukraść (I) to steal
krawiec (krawca, krawców) tailor
krew (krwi, krwi) blood
kręcić (II), skręcić (II) to turn
kręcić (II) się, pokręcić (II) się to move about, wander
kroić (II), pokroić (II) to cut
krok (-u, -ów) step, pace
król (-a, -ów) king
królowa (królowej, królowych) queen
krótki short
krótkotrwały shortlasting
krzak (-u, -ów) bush
krzyczeć (II), nakrzyczeć (II) to shout, scold
książka (książki, książek) book
księgarnia (księgarni, księgarni) bookshop
księgowy (księgowego, księgowych) accountant (m.)
kto who
ktokolwiek anybody
ktoś somebody
który which
ku + dat. towards
kupować (I), kupić (II) to buy
kwadrans (-a, -ów) quarter (time)
kwadrans po piątej quarter past five

185

za kwadrans piąta quarter to five
kwaśny sour
kwiat (-a, -ów) flower
kwiecień (kwietnia, kwietniów) April

lać (I), polać (I) to pour
lalka (lalki, lalek) doll
las (-u, -ów) forest
lato (lata, lat) summer
lecieć (II), polecieć (II) to fly
lekarz (-a, -y) doctor
lekcja (lekcji, lekcji) lesson
lekki light
lepiej better (*adv.*)
lepszy better (*adj.*)
letni summer (*adj.*); lukewarm
liceum (liceum, liceów) secondary school
liczny numerous, large
liczyć (II), policzyć (II) to count
lipiec (lipca, lipców) July
list (-u, -ów) letter
listopad (-a, -ów) November
liść (liścia, liści) leaf
litr (-a, -ów) litre
lokum (lokum) place, room
Londyn (-u) London
lot (-u, -ów) flight
lotnisko (lotniska, lotnisk) airport
lub or
lubić (II), polubić (II) to like
luty (*m.* lutego, lutych) February

ładny pretty, attractive
łamać (I), złamać (I) to break
łapać (I), złapać (I) to catch
łąka (łąki, łąk) meadow
łatwo easy
łazienka (łazienki, łazienek) bathroom
łóżko (łóżka, łóżek) bed
łyżka (łyżki, łyżek) spoon
łza (łzy, łez) tear

maj (-a, -ów) May
malarz (-a, -y) painter
mało a little; rarely
mały small

małżeński matrimonial
mandat (-u, -ów) fine (*penalty*)
mapa (mapy, map) map
martwić (II) się, zmartwić (II) się to worry
marzec (marca, marców) March
marzenie (marzenia, marzeń) dream
marzyć (II) o czymś to dream of something (want something very much)
masaż (masażu, masaży) massage
masło (masła, maseł) butter
masować (I), pomasować (I) to massage
matematyka (matematyki) mathematics
matka (matki, matek) mother
mądry wise
mąż (męża, mężów) husband
mdleć (I), zemdleć (I) to faint
mdlić (II), zemdlić (II) to nauseate
mdli mnie I feel sick
mdłości (mdłości) nausea
medytacja (medytacji) meditation
menu (*indecl.*), menu
metr (-a, -ów) metre
mężczyzna (mężczyzny, mężczyzn) man
miasto (miasta, miast) town, city
mieć (III), miewać (III, *freq.*) to have; to be supposed to
mieć czas na + *acc.* to have time for
mieć na imię to be called
mieć nadzieję to hope
mieć ochotę na coś to want something, feel like something
mieć rację to be right
mieć się to feel
między + *inst.* between
miejsce (miejsca, miejsc) place, space
miesiąc (-a, miesięcy) month
mięso (mięsa, mięs) meat
mieszkać (III) to live (inhabit)
mieszkać przy ulicy ... pod numerem ... to live on street ... at number ...
mieszkanie (mieszkania,

mieszkań) flat; living quarters
miłość (miłości, miłości) love
miły pleasant, likeable, nice
mimo, że even though
minuta (minuty, minut) minute
mleko (mleka) milk
młody young
młotek (młotka, młotków) hammer
mniej less (adv.)
mniejszy smaller
momencik (-u, -ów) moment
  (diminutive)
moment (-u, -ów) moment
morze (morza, mórz) sea
móc (I, mogę, możesz) to be able
  to
mój my
może maybe, perhaps
można it is allowed
mówić (II), powiedzieć (IV) to
  speak, say, tell
mówić po polsku to speak Polish
mucha (muchy, much) fly (insect)
mur (-u, -ów) wall
musieć (II) to have to, must
muzyka (muzyki, muzyk) music
my we
myć (I), umyć (I) to wash
myć się, umyć się to wash oneself
mylny wrong, incorrect
myśleć (II), pomyśleć (II) to think
muzeum (muzeum, muzeów)
  museum

na + acc. to, for
na + loc. on, in, at
na lewo on the left
na pewno certainly
na prawo on the right
nad + inst. above, over
nagle suddenly
najbardziej the most
najmniej the least
najwyżej at the most; highest
  (adv.)
napięcie (napięcia, napięć) tension
naprawdę really
naprzeciwko + gen. opposite
nareszcie at last, finally
narodowość (narodowości,

narodowości) nationality
narzeczona (narzeczonej,
  narzeczonych) fiancée
narzeczony (narzeczonego,
  narzeczonych) fiancé
narzekać (III), ponarzekać (III)
  na + acc. to complain about
następny next
nasz our
nauczyciel (-a, -i) teacher
nawet even
nazwisko (nazwiska, nazwisk)
  surname
nazywać (III) się, nazwać (I) się
  to be called (named)
nic (niczego) nothing
nie no, not
nie tylko ... ale i ... not only
  ... but also ...
niebieski blue
niech polite command
niech pan siada please sit down
niedaleko not far
niedziela (niedzieli, niedziel)
  Sunday
Niemiec (Niemca, Niemców)
  German man
niemiecki German
Niemka (Niemki, Niemek)
  German woman
nieobecność (nieobecności,
  nieobecności) absence
nieporozumienie
  (nieporozumienia,
  nieporozumień)
  misunderstanding
nieprzyzwoity indecent, immodest
nieść (I), zanieść (I) to carry
niestety unfortunately, alas
niewiele not many, few
nieznany unknown
nigdy never
nikt nobody
nim (or zanim) before (+ verb)
niski short, low
niż than
no! well!
noc (-y, -y) night
noga (nogi, nóg) leg
nowoczesny modern

nowy new
nóż (noża, noży) knife
nudny boring
nudzić (II) się, znudzić (II) się to get bored
numer (-u, -ów) number
nuta (nuty, nut) note (musical)

o + *loc.* at, about
o której? what time?
obaj, obie, oba both
obiad (-u, -ów) dinner
objaw (-u, -ów) symptom
obniżka (obniżki, obniżek) reduction (in price)
obok + *gen.* next to
ochładzać (III) się, ochłodzić (II) się to become cooler
oczekiwać (*imperf.* I) to expect, await
oczywiście of course
od + *gen.* from
od paru since a couple of
odchodzić (II), odejść (I) to go away, leave
odczyt (-u, -ów) lecture
oddawać (I), oddać (III) to give back, return
oddzwaniać (III), oddzwonić (II) to ring back
odechciewać (III) się, odechcieć (I) się to cease liking, to lose one's desire (*for something*)
odlot (-u, -ów) (flight) departure
odpoczywać (III), odpocząć (I) to rest
odpowiadać (III), odpowiedzieć (I) to answer
odpowiedź (odpowiedzi, odpowiedzi) answer
odrazu straight away
odwoływać (I), odwołać (III) to call off, cancel
odwrotnie on the contrary
odżywiać (III) się, odżywić (II) się to nourish oneself, to eat
oglądać (III), obejrzeć (II) to look at
ogórek (ogórka, ogórków) cucumber

ogród (ogrodu, ogrodów) garden
ojciec (ojca, ojców) father
ojej! oh dear! gosh!
okno (okna, okien) window
oko (oka, oczu) eye
ołówek (ołówka, ołówków) pencil
on he
ona she
one they (*women, animals, objects*)
oni they (*men, mixed co.*)
ono it
opiekować (I) się, zaopiekować (I) się + *inst.* to look after, take care of
orzech (-a, -ów) nut
ostatni last
ostry sharp; severe
otwarty open
otwierać (III), otworzyć (II) to open
owoc (*pl.* owoce) (-a, -ów) fruit
owszem why yes, certainly

pachnąć (I)/pachnieć (I), zapachnieć (I) to smell (*intrans.*)
paczka (paczki, paczek) parcel
padać (III), spaść (I) to fall (rain)
pada deszcz it's raining
pakować (I) się, zapakować (I) się to pack (one's bags)
pamiętać (III), zapamiętać (III) to remember
pan (-a, -ów) Mr, sir, gentleman
pani (pani, pań) lady, Mrs, madam
państwo (państwa) Mr and Mrs (Ms); ladies and gentlemen
papier (-u, -ów) paper
para (pary, par) couple
parasolka (parasolki, parasolek) umbrella
park (-u, -ów) park
parkować (I), zaparkować (I) to park
parter (-a, -ów) ground floor
na parterze on the ground floor
pasażer (-a, -ów) passenger
pasować (I) to suit
pasy (pasów) zebra crossing
paszport (-u, -ów) passport

pasztecik (-a, -ów) savoury pastry
patrzeć (II), popatrzeć (II) to look
październik (-a, -ów) October
pchać (III), pchnąć (I) to push
pewnie surely, probably
pędzić (II), popędzić (II) to rush, hurry
pertraktacje (pertraktacji) negotiations
piątek (piątku, piątków) Friday
pić (I), wypić (I) to drink
piec (I, piekę, pieczesz), upiec (I, upiekę, upieczesz) to bake
pieczeń (pieczeni, pieczeni) roast
pieczywo (pieczywa) bread (general term)
pieniądz (pl., pieniędzy) money
pies (psa, psów) dog
pięknie beautifully
piękny beautiful
piętro (piętra, pięter) floor, storey
pilnować (I) przypilnować (I) + gen. to keep an eye on, to guard
pióro (pióra, piór) pen; feather
pisać (I), napisać (I) to write
pisywać (I, freq.) to write
pisarz (-a, -y) writer (m.)
piwo (piwa, piw) beer
plac (-u, -ów) square
plakat (-u, -ów) poster
płacić (II), zapłacić (II) to pay
płakać (I), zapłakać (I) to cry (weep)
płaszcz (-a, -ów) coat
płot (-u, -ów) fence
płynąć (I), popłynąć (I) to sail
pływać (III), popływać (III) to swim
po + loc. after, along, about (all over)
po lewej, prawej, drugiej strony ulicy on the left, right, other side of the street
pobliże: w pobliżu in the vicinity
pobolewać (III) (freq.) to hurt (from time to time)
pociąg (-u, -ów) train
początek: na początek to start with
poczta (poczty, poczt) post (mail), post office

pod + inst. under, below
podatek (podatku, podatków) tax
podawać (I), podać (III) to pass, hand over
podawać, podać komuś rękę to shake someone's hand
podczas + gen. during
podenerwowany irritated
podobać (III) się, spodobać (III) się to be attractive
podoba mi się I like
podpis (-u, -ów) signature
podpisywać (I), podpisać (I) to sign
podróż (-y, -y) journey
podstawowy basic
poeta (poety, poetów) poet (m.)
pogoda (-y, pogód) weather
pojawiać (III) się, pojawić (II) się to appear
pojedynczy single
pojutrze the day after tomorrow
pokazywać (I), pokazać (I) to show, indicate
pokój (-u, -ów) room; peace
Polak (-a, -ów) Pole (m.)
pole (pola, pól) field
Polka (Polki, Polek) Pole (f.)
Polska (Polski) Poland
polski Polish
połowa (połowy, połów) half
południe (południa) midday
pomagać (III), pomóc (I) + dat. to help
pomarańcza (pomarańczy, pomarańczy) orange
pomidor (-a, -ów) tomato
poniedziałek (poniedziałku, poniedziałków) Monday
ponieważ because
ponury gloomy
popularny popular
posiłek (posiłku, posiłków) meal
postój (-u, -ów) taksówek taxi rank
potem then, afterwards, later
potencjalny potential
potrafić (II) to be able, capable
potrzebny needed

potwierdzać (III), potwierdzić (II)
to confirm

potwierdzenie (potwierdzenia,
potwierdzeń) confirmation

poważny serious

powiadać (III, *freq.*) to say

powieść (powieści, powieści)
novel

powinno (być) it ought to (be),
should (be)

powodować (I), spowodować (I)
to cause

powolny slow

powód (powodu, powodów) reason
z powodu + *gen.* because of

pozór (pozoru, pozorów)
appearance

pożyczać (III), pożyczyć (II) to
lend; borrow

pół/połówka (połówki, połówek)
half

półka (półki, półek) shelf

północ (-y, -y) midnight

praca (pracy, prac) work

pracować (I), popracować (I) to
work

prać (I), uprać (I)/wyprać (I) to
wash (clothes)

prawda (prawdy, prawd) truth

prawdziwy real, authentic

prawie nearly, almost

prażyć (II), uprażyć (II) to dry
roast; scorch

prąd (-u, -ów) current

prezent (-u, -ów) present, gift

prezes (-u, -ów) president,
chairperson

profesor (-a, -ów) professor

prosić (II), poprosić (II) o + *acc.*
to ask for

prosto straight ahead

prosty straight

proszek (proszku, proszków)
powder; tablet

proszę please

proszę bardzo you're welcome,
here you are

próbować (I), spróbować (I)
to try

prysznic (-a, -ów) shower

przechodzić (II), przejść (I) przez
+ *acc.* to cross

przecież after all

przeciwko + *dat.* against

przecznica (przecznicy, przecznic)
cross street

przed + *inst.* in front of; before

przed godziną an hour ago

przed rokiem a year ago

przed tygodniem a week ago

przedsiębiorstwo
(przedsiębiorstwa,
przedsiębiorstw) business,
company

przedstawiać (III), przedstawić
(II) to present, introduce

przedstawiciel (-a, -i)
representative (*m.*)

przedstawienie (przedstawienia,
przedstawień) performance

przedtem before (*an event*)

przedwczoraj the day before
yesterday

przejadać (III) się, przejeść (IV)
się to overeat

przepraszać (III), przeprosić (II)
za + *acc.* to apologize for

przeprowadzać (III),
przeprowadzić (II) to lead, to
conduct

przerażać (III), przerazić (II) to
horrify

przerwa (przerwy, przerw) interval

przerywać (III) przerwać (I) to
take a break

przesadny exaggerated

przeziębiać (III) się, przeziębić
(II) się to catch a cold

przez + *acc.* through; by (*with
passive*)

przeżywać (III), przeżyć (I) to
experience; survive

przy + *loc.* near, beside, at

przychodzić (II), przyjść (I
przyjdę, przyjdziesz) to
come (*to*)

przygotowywać (I), przygotować
(I) to prepare

przyjaciel (przyjaciela, przyjaciół)
friend (close) (*m.*)

przyjaciółka (przyjaciółki,
  przyjaciółek) friend (close) (*f.*)
przyjemność (przyjemności,
  przyjemności) pleasure,
  enjoyment, joy
przyjeżdżać (III), przyjechać (I) to
  arrive (*by transport*)
przyjęcie (przyjęcia, przyjęć)
  reception (*event*)
przyjmować (I), przyjąć (I) to
  entertain; accept
przyjście (przyjścia, przyjść)
  arrival
przykro unpleasant (*adv.*)
  przykro mi I'm sorry
przylatywać (I), przylecieć (II) to
  fly in (arrive)
przypominać (III), przypomnieć
  (II) to recall
przynieść (I, przyniosę,
  przyniesiesz), przynosić (I,
  przynoszę, przynosisz) to bring
przystanek (przystanku,
  przystanków) (autobusowy)
  (bus) stop
przystawka (przystawki,
  przystawek) hors d'oeuvre, first
  course
przyszły next, upcoming
przyznawać (I) się, przyznać (III)
  się to admit
przyzwoity decent
pszczoła (pszczoły, pszczół) bee
ptak (-a, -ów) bird
pudełko (pudełka, pudełek) box
pusty empty
pyszny delicious
pytać (III) (się), zapytać (III)
  (się) o + *acc.* to ask for
pytanie (pytania, pytań) question

rachunek (rachunku, rachunków)
  bill, invoice
rada (rady, rad) advice
radio (radia) radio
radość (radości, radości) joy
radzić (II), poradzić (II) to advise
ramię (ramiona, ramion) shoulder
randka (randki, randek)
  rendezvous

rano (rana, ran) morning
ratusz (-a, -ów) town hall
raz time (instance); once
  na razie at the moment
  po raz pierwszy for the first
  time
razem together
razić (II, *imperf.*) w oczy to dazzle
razowy wholemeal
reagować (I), zareagować (I) to
  react
recenzja (recenzji, recenzji)
  review
recepcjonista (recepcjonisty,
  recepcjonistów) receptionist (*m.*)
recepcjonistka (recepcjonistki,
  recepcjonistek) receptionist (*f.*)
regularnie regularly
reklama (reklamy, reklam)
  advertisement
relaks (-u) relaxation
relaksować (I) się, zrelaksować (I)
  się to relax
restauracja (restauracji,
  restauracji) restaurant
ręcznik (-a, -ów) towel
ręka (ręki, rąk) hand
robić (II), zrobić (II) to do
robota (roboty, robót) work, job
rodzić (II) się, urodzić (II) się to
  be born
rodzina (rodziny, rodzin) family
rok (*pl.* lata) (roku, lat) year
rosnąć (I), urosnąć (I) to grow
rozboleć (II, *perf.*) to start hurting
rozmawiać (III), porozmawiać
  (III) to talk, converse
rozpadać (III) się, rozpaść (I) się
  to pour (rain), distintegrate
rozpogadzać (III) się, rozpogodzić
  (II) się to grow brighter
  (*weather*)
rozsądny sensible, reasonable
rozum (-u, -ów) reason
rozumieć (IV), zrozumieć (IV) to
  understand
róg (rogu, rogów) corner
róża (róży, róż) rose
różowy pink
ruchliwy lively (*pers.*), busy (*street*)

ryba (ryby, ryb) fish
rynek (rynku, rynków)
  marketplace
rysować (I), narysować (I) to
  draw
rzadki rare
rządzić (II), zarządzić (II) + inst.
  to rule, govern
rzecz (-y, -y) thing
rzeczywiście really, indeed
rzeka (rzeki, rzek) river
Rzym (-u) Rome

sala (sali, sal) hall; hospital ward
sałata (sałaty, sałat) lettuce
sałatka (sałatki, sałatek) salad
samochód (samochodu,
  samochodów) car
samolot (-u, -ów) aeroplane
sąd (-u, -ów) court (of law),
  judgement
sądzić (II), osądzić (II) to judge;
  suppose, think
sąsiad (-a, -ów) neighbour
schab (-u) pork loin
sciemniać (III) się, sciemnić (II)
  się to grow dark
sekretarka (sekretarki, sekretarek)
  secretary (f.)
sekretarz (-a, -ów) secretary (m.)
sen (snu, snów) dream, sleep
senny sleepy
ser (-a, -ów) cheese
serce (serca, serc) heart
serdeczny cordial
sernik (-a, -ów) cheesecake
sezon (-u, -ów) season
siąkać (III), siąknąć (I) to sniff
siedzieć (II) (imperf.) to sit
sierpień (sierpnia, sierpniów)
  August
silny strong
siostra (siostry, sióstr) sister
skakać (I, skaczę, skaczesz),
  skoczyć (II) to jump
skąd? where from?
sklep (-u, -ów) shop
sklep spożywczy food shop
skrzypieć (II), zaskrzypieć (II) to
  creak

skrzyżowanie (skrzyżowania,
  skrzyżowań) crossroads
słaby weak, not good
słodki sweet
słońce (słońca, słońc) sun
słownik (-a, -ów) dictionary
słuchać (III), posłuchać (III) +
  gen. to listen to
słynny famous
słyszeć (II), usłyszeć (II) to hear
smaczny tasty
smak (-u, -ów) taste
smutny sad
sobota (soboty, sobót) Saturday
sok (-u, -ów) juice
sól (-i, -i) salt
spacer (-u, -ów) walk
spacerować (I), pospacerować (I)
  to go for a walk
spać (II śpię, śpisz) to sleep
spod + gen. from (near a place)
  spod Warszawy from near
  Warsaw
spoglądać (III), spojrzeć (II) to
  glance
spokój (-u) peace, calm
spokojny calm, peaceful
sporo quite a few
spory quite large
spostrzegać (III), spostrzec (I) to
  notice
spostrzec się to realize
spotkanie (spotkania, spotkań)
  meeting
spotykać (III) się, spotkać (III)
  się to meet
spółka (spółki, spółek) partnership
spóźniać (III) się, spóźnić (II) się
  to be late
spóźnienie (spóźnienia, spóźnień)
  late-coming
sprzedawać (I), sprzedać (III) to
  sell
srebrny silver
srebro (srebra, sreber) silver (n.)
stacja (stacji, stacji) station
stać (II stoję, stoisz), stanąć (I) to
  stand
stamtąd from there
Stany (Stanów) the States

stary old
stawać (I) **się, stać** (I) **się** to become, happen
stawiać (III), **postawić** (II) to put, place
stąd from here
stoisko (**stoiska, stoisk**) stall, stand
stolica (**stolicy, stolic**) capital city
stół (**stołu, stołów**) table
stołek (**stołku, stołków**) stool
strasznie terribly
stres (**-u, -ów**) stress
student (**-a, -ów**) student
studia (*pl.*, **studiów**) degree course
studiować (I) to study
styczeń (**stycznia, styczniów**) January
suchy dry
suknia (**sukni, sukien**); **sukienka** (**sukienki, sukienek**) dress (*women's*)
surowy raw
suszony dried
suszyć (II), **wysuszyć** (II) to dry
sweter (**swetra, swetrów**) jumper
swój his, her, its (own)
sympatyczny pleasant
syn (**-a, -ów**) son
sypialnia (**sypialni, sypialni**) bedroom
sytuować (I), **usytuować** (I) to place
szalony crazy
szampan (**-a, -ów**) champagne
szanować (I), **uszanować** (I) to respect
szansa (**szansy, szans**) chance
szarlotka (**szarlotki, szarlotek**) apple cake
szary grey
szczęście (**szczęścia, szczęść**) luck
szef (**-a, -ów**) boss
szept whisper
szeroki wide
szeroko widely
szkoda (**szkody, szkód**) (it's a) shame, pity; harm
szkodzić (II), **zaszkodzić** (II) to be harmful

(**nic**) **nie szkodzi** it doesn't matter; never mind
szkoła (**szkoły, szkół**) school
szosa (**szosy, szos**) road
szpital (**-u, -i**) hospital
sztuczny false, artificial
sztuka (**sztuki, sztuk**) art; play
sztywny stiff
szuflada (**szuflady, szuflad**) drawer
szukać (III), **poszukać** (III) + *gen.* to look for
szumieć (II) **zaszumieć** (II) to hum, rustle
szybki fast
szybko fast, quickly
szyja (**szyji, szyj**) neck
ściemniać (III) **się, sciemnić** (II) **się** to grow dark
śledź (**śledzia, śledzi**) herring
śliczny lovely, beautiful
ślub (**-u, -ów**) wedding
śmiać (I) **się, pośmiać** (I) **się** to laugh
śmietana (**śmietany, śmietan**) smetana, sour cream
śniadanie (**śniadania, śniadań**) breakfast
śnić (II, *imperf.*) to dream (*asleep*)
śpieszyć (II) **się, pośpieszyć** (II) **się** to hurry
śpiewać (III), **zaśpiewać** (III) to sing
środa (**środy, śród**) Wednesday
świat (**-a, -ów**) world
światło (**światła, świateł**) light
światła (**świateł**) lights; traffic lights
świetny excellent
świetnie! (*adv.*) excellent!
świeży fresh
święto (**święta, świąt**) feast-day, holiday
święty (**świętego, świętych**) saint
święty holy
świt (**-u, -ów**) dawn
świtać (III), **zaświtać** (III) to dawn

tak yes; in such a way, so (much)
taksówka (**taksówki, taksówek**) taxi

talerz (**-a, -y**) plate
tam there
tamten that (one there)
tamtędy that way
tancerka (**tancerki, tancerek**)
  dancer (*f.*)
tancerz (**-a, -y**) dancer (*m.*)
tani cheap
tańczyć (II), **zatańczyć** (II) to
  dance
targ (**-u, -ów**) market
taryfa (**taryfy, taryf**) tariff, fare
taśma (**taśmy, tasiem**) tape
teatr (**-u, -ów**) theatre
telefon (**-u, -ów**) telephone
telewizja (**telewizji, telewizji**)
  television
telewizyjny television (*adj.*)
temu ago
ten this
teraz now
też also
tęcza (**tęczy, tęcz**) rainbow
tędy this way
tępy blunt; dull-witted
tęsknić (II), **stęsknić** (II) **się za** +
  inst. to miss (*somebody or*
  something), long for
tłum (**-u, -ów**) crowd
tłumaczyć (II), **przetłumaczyć** (II)
  to translate
tłumaczyć (II), **wytłumaczyć** (II)
  to explain
toaleta (**toalety, toalet**) toilet
ton (**tonu, tonów**) tone
torba (**torby, toreb**) bag
trawa (**trawy, traw**) grass
trąba (**trąby, trąb**) trumpet
trochę a little
trudny difficult
trwać (III), **wytrwać** (III) to last
trząść (II), **zatrząść** (II)
  to shake
trzeba one ought to
tu here
tu i tam here and there
turysta (**turysty, turystów**) tourist
  (*m.*)
turystka (**turystki, turystek**) tourist
  (*f.*)

tutaj here
tuż just (*directly*); close by
twardy hard; tough
twój (*sing.*) your
ty you (*sing.*)
tydzień (**tygodnia, tygodni**) week
tyle so much/many
tylko only

u + *gen.* at (a place)
ubikacja (**ubikacji, ubikacji**) toilet
ubierać (III), **ubrać** (I) to dress
ubierać się, ubrać się to get
  dressed
ucho (**ucha, uszu**) ear
uciekać (III), **uciec** (I) to escape
uczeń (**ucznia, uczniów**) pupil
uczyć (II) **się, nauczyć** (II) **się** +
  gen. to learn
udawać (I) **się, udać** (III) **się** to
  succeed
  udało mi się I succeeded
udzielać (III) **udzielić** (II) to give
  impart
układać (III), **ułożyć** (II) to
  arrange
ulica (**ulicy, ulic**) street
umawiać (III), **umówić** (II) to
  appoint (*an hour, place*), fix (*a*
  time)
umawiać się, umówić się to make
  an appointment, to agree
umieć (IV) to be able, know (how
  to do something)
umowa (**umowy, umów**)
  agreement
uniwersytet (**-u, -ów**) university
uparty stubborn
upierać (III) **się, uprzec** (I) **się** to
  set one's mind, to be intent on
upijać (III) **się, upić** (I) **się** to get
  drunk
urlop (**-u, -ów**) holiday, vacation
urodzenie (**urodzenia, urodzeń**)
  birth
urodzić (II *perf.*) **się** to be born
urodziny (*pl.*, **urodzin**) birthday
urozmaicony varied
urządzać (III), **urządzić** (II) to
  arrange, organize

usiąść (I *perf.*) to sit down
uważać (III *imperf.*) to be careful
używać (III), **użyć** (I) to use

w/we + *loc.* in, inside
w ciągu + *gen.* within (*time*)
w czasie + *gen.* during
w przeciągu + *gen.* within (*time*)
w przyszłym miesiącu (*during*) next month
w przyszłym roku (*during*) next year
w przyszłym tygodniu (*during*) next week
w tej chwili at this moment
w tym miesiącu this month
w tym roku this year
w tym tygodniu this week
w zeszłym miesiącu last month
w zeszłym roku last year
w zeszłym tygodniu last week
waga (**wagi**, **wag**) weight
wakacje (*pl.*, **wakacji**) vacation, holidays
walić (II), **walnąć** (I) to thump, hit hard
walizka (**walizki**, **walizek**) suitcase
waluta (**waluty**, **walut**) currency
twarda waluta hard currency
Warszawa Warsaw
warto worth
wasz your(s) (*pl.*)
ważny important
ważyć (II), **zważyć** (II) to weigh
wąchać (III), **powąchać** (III) to smell (*something*)
wątróbka (**wątróbki**, **wątróbek**) liver (*culinary*)
wbrew + *dat.* contrary to
wcale nie not at all
wciąż still (*time*)
wcześnie (*adv.*) early
wczesny early
wczoraj yesterday
wczorajszy yesterday's
według + *gen.* according to
wejście (**wejścia**, **wejść**) way in, entrance
wesoły jolly
wędrować (I) to wander

węgierski Hungarian (*adj.*)
wiadomości (**wiadomości**) news
widelec (**widelca**, **widelców**) fork
widok (**-u**, **-ów**) view
widywać (I, *freq.*) to see
widzieć (II), **zobaczyć** (II) to see
widzieć (II) **się**, **zobaczyć** (II) **się** to see each other, meet
wieczór (**-u**, **-ów**) evening
wieczorem in the evening
wiedzieć (IV) to know (a fact)
wielki huge, big
wieprzowina (**wieprzowiny**) pork
wieprzowy pork (*adj.*)
wieszać (III), **powiesić** (II) to hang
wieś (**wsi**, **wsi**) country, village
wieźć (I, **wiozę**, **wieziesz**), **zawieźć** (I) to drive (*someone*)
wieża (**wieży**, **wież**) tower
więc so, therefore
większy bigger
wina (**winy**, **win**) fault; guilt
winda (**windy**, **wind**) lift
wino (**wina**, **win**) wine
wiosna (**wiosny**, **wiosen**) spring (*season*)
witać (III), **przywitać** (III) to greet
wizytówka (**wizytówki**, **wizytówek**) business card
wkładać (III), **włożyć** (II) to put on
wkrótce soon
własny own
właściciel (**-a**, **-i**) owner (*m.*)
właśnie just; indeed
włos (**-u**, **-ów**) hair (*sing.*)
włoski Italian (*adj.*)
woda (**wody**, **wód**) water
woda mineralna mineral water
woleć (II) to prefer
wolno it is allowed
wolny free; slow
wołowina (**wołowiny**) beef
wołowy beef (*adj.*)
wódka (**wódki**, **wódek**) vodka
wódz (**-a**, **-ów**) leader (*of a nation, tribe*)
wpłacać (III), **wpłacić** (II) to pay in
wpół do half (to)

wprowadzać (III), wprowadzić (II) to lead in, introduce

wracać (III), wrócić (II) to return

wrzesień (września, wrześniów) September

wrzucać (III), wrzucić (II) to throw in

wspominać (III), wspomnieć (II) to remember, reminisce

wspólnik (-a, -ów) partner (business)

wspólny common

współczesny contemporary

wstawać (I), wstać (I) to get up

wstyd (mi) (I am) ashamed

wstydliwy shy, timid

wstydzić (II) się, zawstydzić (II) się to be shy

wszędzie everywhere

wszyscy all

wszystko everything

wszystkiego najlepszego! all the best!

wtorek (wtorku, wtorków) Tuesday

wuj (-a, -ów) uncle

wy you (pl.)

wybierać (III), wybrać (I) to choose

wybierać się, wybrać się (coś zrobić) to be on one's way; to mean (to do something)

wybór (wyboru, wyborów) choice

wybory (wyborów) elections

wybrany elected

wychodzić (II), wyjść (I, irreg.) to go out

wydawać (I) się (imperf.) to seem

wyglądać (III), wyjrzeć (II) to look (appear); to look out (e.g. of a window)

wygodny comfortable

wyjazd (-u, -ów) departure, journey

wyjeżdżać (III), wyjechać (I) to depart, go (by transport)

wyjście (wyjścia, wyjść) way out, exit

wykład (-u, -ów) lecture

wykrajać (III), wykroić (II) to cut out

wymieniać (III), wymienić (II) to change, exchange

wymigiwać (I) się, wymigać (III) się to evade, shirk

wypadek (wypadku, wypadków) accident

wyrzucać (III), wyrzucić (II) to throw away

wysoki tall

wystawa (wystawy, wystaw) exhibition

wysyłać (III), wysłać (I) to send

wytrawny dry (as in wine)

wziąć (perf. I wezmę, weźmiesz) to take

wznosić (II), wznieść (I) to raise

z (ze) + gen. from (a place)

za (zimno) too (cold)

za + inst. behind, beyond

za + acc. in (temporal)

za chwilę in a moment

za godzinę in an hour

za miesiąc in a month

zabierać (III), zabrać (I) to take away

zachcianka (zachcianki, zachcianek) whim

zachciewać (III) się, zachcieć (I) się to want, feel like, have a whim

zachowanie (zachowania, zachowań) behaviour

zachowywać (I) się, zachować (III) się to behave

zacinać (III) się, zaciąć (I) się to cut oneself

zaczynać (III), zacząć (I) to begin, start

zadowolony pleased

zagubiony lost

zajęty occupied; busy

zajmować (I), zająć (I) to occupy

zakup (-u, -ów) purchase

zakupy (zakupów) shopping

zalewać (III), zalać (I) to flood

zamawiać (III), zamówić (II) to order, reserve

zamek (zamku, zamków) castle; lock

zamierzać (III), zamierzyć (II) to intend

zamknięty closed

zamykać (III), zamknąć (I) to close

zanim before

zanosić (II), zanieść (I) to carry

zapominać (III), zapomnieć (II) to forget

zapraszać (III), zaprosić (II) to invite

zaraz presently, shortly

zarząd (-u, -ów) management, board

zasada (zasady, zasad) principle
w zasadzie in principle

zastanawiać (III) się, zastanowić (II) się to think over

zasypiać (III), zasnąć (I) to fall asleep

zatrzymywać (I) się, zatrzymać (III) się to stay, stop

zawiadamiać (III), zawiadomić (II) to notify

zawód (-u, -ów) occupation

zawracać (III), zawrócić (II) to turn back

zawracać (III), zawrócić (II) komuś głowę to bother someone

zawsze always

ząb (zęba, zębów) tooth

zbliżać (III) się, zbliżyć (II) się to approach, get near

zboże (zboża, zbóż) grain, cereal (in general)

zdawać (I) się (no perf.) to seem

zdjęcie (zdjęcia, zdjęć) photograph, still

zdolny talented, gifted

zdrowie (zdrowia) health
na zdrowie! cheers! your health!

zdrowy healthy

zebranie (zebrania, zebrań) meeting

zegarek (zegarka, zegarków) watch

zepsuty broken; rotten

zero zero

zeszły last (week)

zeszyt (-u, -ów) exercise book

zgłaszać (III) się, zgłosić (II) się to present oneself

zgniły rotten

zielony green

ziemia (ziemi, ziem) earth

ziewać (III), ziewnąć (I) to yawn

zima (zimy, zim) winter

zimno cold (adv.)

zimny cold

złoty (złotego, złotych) zloty (currency)

złoty golden

zły bad

zmęczony tired

zmieniać (III), zmienić (II) to change

zmierzch (-u, -ów) dusk
o zmierzchu at dusk

znaczyć (II) to mean, signify
to znaczy that is, that means

znać (III) to know (a person, place or thing)

znad + gen. from above (water)

znajdować/znajdywać (I), znaleźć (I) to find

znajoma (znajomej, znajomych) acquaintance (f.)

znajomy (znajomego, znajomych) acquaintance (m.)

znany known, well-known

zniżka (zniżki, zniżek) reduction, discount

znosić (II), znieść (I) to tolerate; to carry down

znowu again

zobaczyć (II) (perf.) to see

zostać (I) to become

zostawać (I), zostać (I) to remain, stay

zostawiać (III), zostawić (II) to leave (trans.)

zrobić (II) się (komuś) głupio to feel foolish

zsiadłe mleko soured milk

zupa (zupy, zup) soup

zupełnie completely

zwierzę (zwierzęcia, zwierząt) animal

zwlekać (III), zwlec (I) to procrastinate, to put off

zwyczajny ordinary

zwykły usual

zysk (**-u, -ów**) profit

źle badly
źródło (**źródła, źródeł**) source

żaden nobody, no-one, no . . .
żal (**-u, -ów**) sorrow, regret,
  grudge
  żal (**mi**) (I'm) sorry
żartować (I), **zażartować** (I) to
  joke

że that
żeby so as to
żona (**żony, żon**) wife
żółty yellow
życie (**życia, żyć**) life
życzenie (**życzenia, życzeń**) wish
życzyć (II) + *gen.* to wish
  (something)
życzyć + *dat.* to wish (someone)
żywność (**żywności**) food,
  provisions

Index

Polish words are in bold. Numbers refer to numbered sections.

199